LES SILENCES DE BISSIÈRE

Daniel Abadie

BISSIÈRE

Ides et Calendes

ISBN 2-8258-0017-1

Imprimé en Suisse   Printed in Switzerland

Les silences de Bissière

«Tout le passé n'est que cheminement. Ma jeunesse a commencé à soixante ans, c'est alors seulement que j'ai fait quelque chose de valable.» D'une simple phrase, en 1961, Bissière rejetait jusqu'à l'évocation de ses années de formation. S'il méritait considération, c'était – il le savait – pour cette seconde naissance à partir de laquelle en 1945 son œuvre, devenue singulière, avait pris place dans l'histoire et où, ce qui sans doute importait plus encore à ses yeux, il avait alors commencé d'être lui-même. Ce n'est que perdu que se connaît l'état d'innocence. Celle, recouvrée, par laquelle Bissière après guerre est reconnu créateur est en réalité le résultat d'un long travail de mise à nu, le fait d'un obstiné retour aux sources. Ainsi ces soixante ans réduits à quelques mots furent-ils temps d'apprentissage – jusqu'à faire d'un jeune provincial ignorant d'un art autre qu'académique un critique estimé et un peintre reconnu – puis de lent rejet de toute notion apprise pour parvenir à retrouver la peinture à son commencement même, à son surgissement instinctif.

Rien de spécifique dans la trajectoire initiale de Bissière, semblable à celle de presque tout jeune artiste de cette époque: le goût de peindre et de s'opposer aux visées paternelles – un doctorat de droit qui aurait permis de continuer la tradition familiale et de reprendre la charge notariale –; des encouragements fortuits, comme celui de Rochegrosse rencontré en 1905 en Algérie et séduit par le coloris de ses premiers travaux; l'entrée à l'Ecole des Beaux-Arts, de Bordeaux d'abord, puis, en 1909, de Paris et l'étude d'un enseignement académique et sclérosé propre à réduire toute personnalité, à condamner toute invention; enfin les premières expositions au Salon des Artistes français en 1910 et 1911 dans un presque total anonymat. Ce qui s'annonçait comme les prémices d'une carrière académique, c'est par le journalisme et la critique que Bissière le remet en question.

Selon toute vraisemblance, c'est pour améliorer sa situation financière que Bissière entreprend de collaborer, dès 1912 sans doute, à des journaux parisiens dans lesquels il publie notes d'actualité, visites d'expositions, compte-rendus de livres et, par exception, des dessins ou des illustrations. Cette activité, si elle ne lui plaît guère – *«Je hais de plus,* écrit-il vers 1915 à sa tante, *cette vie agitée de journaliste, qui n'est pas faite pour moi et qui me gâche une partie de ma vie qui serait mieux employée à d'autres efforts.»* –, amène néanmoins Bissière à porter jugement sur la création contemporaine, à en envisager les buts et les moyens et à trouver ainsi, loin de tout enseignement d'école, les bases d'une réflexion personnelle et les références nécessaires à l'évolution de sa peinture.

S'il se montre d'abord peu sensible aux travaux des artistes les plus avancés, c'est par le biais de la réflexion et de l'écriture que progressivement le cubisme s'affirme pour lui comme le mouvement de référence, celui dont l'influence se fait bientôt sensible dans son œuvre. Paradoxalement, c'est au moment où, après la première guerre, le cubisme perd ses qualités d'expérimentation pour s'abâtardir en formule, en style d'école que Bissière s'y rallie, plus en théorie d'ailleurs qu'en pratique. En effet si, pour une œuvre comme *Groupe de trois personnages* (c. 1918), Bissière emprunte – à la limite de la copie – à Picasso l'une des figures, son modèle reste celui des toiles pré-cubistes de 1906. D'emblée, son travail relève plus de ce «retour à l'ordre», dont Picasso et Derain avaient donné le signal et qui privilégie la lisibilité de l'œuvre, que du cubisme analytique ou synthétique.

De manière caractéristique, l'étude qu'il publie en 1920 sur Georges Braque et qui est la première monographie consacrée au peintre, montre clairement ce qui à cette date le retient dans la peinture cubiste. Parlant de Braque, Bissière – dont les textes critiques sont parmi les rares de cette époque à aborder, au-delà de la paraphrase poétique, la réalité de la peinture – s'attache d'abord à la notion du métier. Pour lui *«l'essentiel de la peinture ou du moins sa base la plus solide»,* c'est cet ensemble *«de recettes et de formules»* apprises des peintres en bâtiment qui travaillent pour le père de Braque. *«Il a voulu avant tout,* écrit-il, *n'être qu'un ouvrier, convaincu que le reste viendrait par surcroît. (...) Il a compris qu'un ouvrage humain longuement caressé, finit par porter la trace des soins qui ont entouré sa naissance et par dégager je ne sais quelle humanité émouvante.»* Mais *«ces méthodes patientes»,* Bissière souligne qu'elles s'accompagnent chez Braque d'une grande importance accordée au sujet qu'il *«considère comme poétique».* C'est en conjugant ces deux aspects que Braque peut *«aboutir à ce qu'il nomme des faits simples, c'est-à-dire dépouillés de tous leurs côtés éphémères et anecdotiques, de tous leurs aspects, pour ne conserver que le côté durable et éternel».* Ce *«besoin de se limiter»,* d'enclore ses moyens *«dans des barrières de plus en plus étroites, car il pense que la limite des moyens donne le style»,* cette *«poésie qui se dégage du beau métier, d'une œuvre faite avec amour et patience»,* c'est dans l'esprit même de l'œuvre de Bissière plus que dans tel ou tel tableau que l'on en trouve tout au long l'influence et la résonance.

Il y a peu à dire des œuvres de Bissière durant l'entre-deux guerres, tant elles sont le reflet de ses recherches plus que de sa personnalité. De même que les études critiques qu'il publie dans l'*Esprit nouveau* sur Seurat, Ingres ou Corot permettent de baliser le champ de ses intérêts, sa peinture essaie tour à tour les formules de Matisse, de Braque ou de Corot, mais surtout participe de ce style post-cubiste, plus générique qu'individualisé, qui est celui de l'Art Déco alentour de 1925. C'est sans doute cette absence même de singularité qui fit alors le succès commercial de la peinture de Bissière.

Aquarelle, 1917. 24 × 33,4 cm

Un contrat avec Léonce Rosenberg (1921-1923) puis avec la Galerie Druet (1923-1928) assure la diffusion de son œuvre et sa vente en France et à l'étranger (particulièrement en Angleterre et au Japon). Peut-être faut-il chercher dans cette réussite même, malgré les nombreuses expérimentations stylistiques auxquelles se livre alors Bissière, la raison de la stagnation de son œuvre, de son impersonnalité.

Dans cette production qui, si elle témoigne toujours d'une certaine qualité picturale, n'en est pas pour autant le plus souvent digne de mémoire, apparaît pourtant en 1927, avec une courte série de *Paysages,* comme une intuition de l'œuvre future. Dans ces tableaux, la structure de l'image disparaît au profit de grands rythmes linéaires qui organisent sur la toile la multiplicité des touches de pinceau. Quelques éléments réalistes et hétérogènes disposés dans l'image assurent toutefois que Bissière n'a pas encore pleinement résolu le problème de la représentation. Pourtant dans la vibration lumineuse qui naît de la juxtaposition des touches colorées, dans la présence d'une architecture secrète qui rend encore plus forte la liberté des signes picturaux, ce sont déjà la sensibilité à la nature, l'invention totale qui feront la singularité de ses derniers tableaux qui se manifestent; mais sans doute Bissière n'était-il pas encore à même de voir dès lors la portée de ces œuvres.

La crise économique de 1929, en interrompant le contrat qui le liait avec la Galerie Druet, rend tout à la fois Bissière libre des contraintes du marché, mais accentue sans doute son inquiétude naturelle. Seul alors son poste de professeur à l'Académie Ranson, où il enseignera jusqu'en 1938, lui permet d'assurer les besoins du quotidien. Mais au-delà de cette nécessité pratique, on peut s'interroger sur les raisons qui firent accepter à un artiste *«ayant toujours été conscient que rien ne s'enseigne»* de succéder à Maurice Denis en tant que professeur de peinture, puis de fresque. Si justement ses élèves – qui seront après-guerre les figures de la nouvelle peinture française comme Bertholle, Le Moal, Manessier, Garbell ou Grüber (pour n'en citer que quelques-uns) – n'ont cessé de se réclamer de son enseignement, c'est que, comme l'écrit Charles Estienne, *«les meilleurs, les seuls maîtres sont des maîtres spirituels. Ainsi furent Gustave Moreau et de nos jours Bissière»*.

Il est vrai que son programme, affiché dans l'atelier, relève plus des préceptes moraux que d'une conception esthétique:

«Ne vous jetez pas sur votre papier ou sur votre toile et ne commencez pas à les couvrir au hasard.

Regardez longuement votre modèle et commencez à dessiner ou à peindre seulement lorsque vous savez ce que vous voulez faire.

Ne tracez jamais un trait, ne posez jamais un ton sans vous demander pourquoi vous leur donnez telle forme, telle direction, telle surface ou telle couleur.

Si votre dessin est mauvais n'espérez pas l'améliorer en peignant, soyez sûrs qu'au contraire vous le rendrez plus mauvais.

N'attaquez pas tous les problèmes à la fois, sériez-les, sans quoi vous vous perdrez dans leur complexité.

La peinture, comme le dessin, vit de rapports, n'envisagez jamais une partie isolée du tout.

Ne copiez pas la nature, faites un choix parmi les éléments qu'elle vous offre. Devant la nature efforcez-vous de ramener des formes complexes à des formes simples, plus vous vous rapprocherez des formes essentielles, cube, triangle, cône, pyramide, cylindre, cercle, etc. etc., plus votre travail sera expressif. Gardez-vous de croire que la palette la plus multiple est apte à engendrer le tableau le plus coloré, soyez sûrs au contraire que c'est la palette la plus sobre qui est la plus expressive.

Un ton n'est beau que quand il est suggéré.

Apprenez à conduire votre travail logiquement sans vous fier au hasard, commandez toujours à votre toile, ne lui obéissez jamais.

Soyez sincères et n'essayez pas de vous servir de modes d'expression contraires à votre tempérament.

Sachez accepter vos qualités et vos défauts et en tirer le meilleur parti possible, c'est un courage que tous les maîtres ont su avoir.

Brou de noix, 1925. 18,5 × 11,5 cm

Ne cherchez pas à faire un dessin ou un tableau «réussi» cela n'a aucun intérêt. Cherchez plutôt à apprendre quelque chose et à faire un pas en avant. Quand vous vous serez astreints à ces lignes de conduite vous posséderez une discipline et une méthode qui vous éviteront de longs tâtonnements.

Alors, mais alors seulement, vous pourrez sans danger oublier ces directives, vous fier à vos seules forces, c'est-à-dire à votre sensibilité propre, car en dernier ressort c'est le cœur qui justifie tout et là je ne puis plus rien pour vous.»

L'audience acquise en tant que professeur à l'Académie Ranson a dû progressivement peser à Bissière, lui faisant craindre de laisser plus le souvenir d'un maître que d'un peintre. Ainsi, lorsqu'en 1943, à l'instigation de Manessier, Gaston Diehl s'adresse à lui pour écrire un texte sur la peinture murale dans un numéro prochain de *Confluences,* sa réponse sera-t-elle *Défense d'afficher* où il prend le contre-pied des théories admises et de son enseignement et manifeste superbement sa liberté reconquise. Toutefois, comme les articles critiques avaient conduit Bissière à prendre conscience de l'art moderne, la présence de ses élèves eut sans doute un rôle révélateur dans l'intérêt qu'il manifeste alors pour certaines tendances de l'art, jusqu'alors étrangères à ses préoccupations, comme le surréalisme.

C'est la veine fantastique de celui-ci qui se fait jour, de façon insidieuse, comme parmi les peintres du groupe *Témoignage* formé par ses anciens élèves, dans ses *Crucifixions,* ses *Descentes de croix* ou ses *Monstres* (c. 1936-1937) et jusque dans ses *Nus à l'angelot* où plane le souvenir de Cranach comme celui de Grünewald habite les *Crucifixions.* Ces œuvres peintes sur fond noir, telle la *Grande Figure* (1937) possèdent à la fois une dimension monumentale et dramatique. D'évidence, Bissière a renoué dans ces tableaux par delà le plaisir de peindre avec le besoin de dire que tant d'années de productions diverses semblait avoir usé. Mais il sait trop, définitivement.

Le retour imposé par la maladie en 1938 dans la propriété familiale de Boissiérettes sera ainsi méditation forcée dont la guerre, en la prolongeant, va faire une complète remise en question.

L'intelligence de la peinture, celle apprise par la réflexion critique et le journalisme comme celle acquise pendant ses années parisiennes de fréquentation des œuvres et des peintres, ne pouvait conduire Bissière qu'à prendre l'exacte mesure de ses tentatives picturales lors de cette période d'isolement et de repli sur soi que furent pour lui les années de guerre. A Boissiérettes, où s'interrompt alors presque totalement son activité de peintre, le regard rétrospectif est à l'origine d'une profonde interrogation sur la peinture, ses moyens et sa fin. A celui qui notait: *«On peint trop, on ne regarde pas assez»,* la diversité même de ses réalisations antérieures semblait souligner leur insuffisant ancrage au cœur de la réalité, affirmer dans cette distance soudain introduite par rapport à l'avant-garde parisienne leur caractère *emprunté.* Des maîtres – Ingres, Corot, Seurat ou Braque – comme des œuvres dont il avait médité la portée, il avait jusqu'alors entendu tirer une théorie, faisant de *«la mesure, l'ordre et la raison»,* où il croyait reconnaître les traits caractéristiques d'une peinture *«traditionnellement française»* les mots d'ordre de son propre travail. Au regard de la débacle et de ce qui semblait l'effondrement même de la civilisation, il était difficile de continuer à croire aux *«caractères essentiels et permanents»* de la peinture. Seuls, alors, le doute et le silence pouvaient avoir cours.

Brou de noix, plume et lavis, 1928. 27 × 21 cm

L'absurdité de la guerre, par l'interrogation qu'elle provoque sur l'ordre des valeurs, met en cause le bien-fondé de tout art et fait soudain de ses plus hautes réussites mêmes, une façon de jeu gratuit. Ainsi, ce qui avait été période d'exultation et d'audace, après la *der des ders,* années folles sans fin prévisible, était-il devenu insidieusement *l'entre-deux guerres.* Ce sentiment d'impuissance de l'esprit confronté aux mécanismes sociaux provoqua chez nombre de créateurs, lors du premier conflit mondial, une réaction de sursaut, la dénonciation et le refus de la culture à laquelle ils appartenaient et qui, quand elle n'avait pas cautionné la guerre, s'était pour le moins montrée impuissante à la juguler. Dada, dans ses soudaines explosions à travers le monde, n'eut pas d'autre commun dénominateur...

Inattention des historiens ou fait d'accoutumance, la seconde guerre mondiale semble, chez les intellectuels, avoir moins que la précédente provoqué le déni mais plutôt suscité la résistance, entraînant paradoxalement une valorisation de la morale, de l'histoire, de ce qui compose le caractère et l'idéal d'une nation. Ainsi les tableaux peints pendant l'occupation ou à la libération se nomment-ils chez Lapicque: *Jeanne d'Arc traversant la Loire* (1940), chez Bazaine: *La messe de l'Homme armé* (1944) ou *Salve Regina* (1945) pour Manessier. C'est qu'à travers la montée des fascismes et leur démonstration de force, c'était moins cette fois la culture d'un peuple que le concept même d'œuvre d'art qui était en cause.

Quelques créateurs seuls entreprirent cependant de considérer avec une suspicion méthodique, tant l'esthétique et la morale régnantes que ce qui avait pu lui donner cours. De ces entreprises, la plus explicite et la plus radicale est sans conteste celle de Jean Dubuffet tant pour son œuvre propre que pour la mise en lumière de la notion d'*Art Brut.* Dans *Positions anticulturelles* (1951), Dubuffet écrit ainsi précisément: *«Des valeurs longtemps tenues pour assurées et indiscutables commencent à apparaître douteuses sinon tout à fait fausses. D'autres qu'on négligeait ou qu'on tenait même pour méprisables se révèlent tout à coup précieuses.»* Ces mots sont à l'image exacte de la situation de Bissière tout autant que de celle de Dubuffet: de longues années d'apprentissage du métier de peintre, ponctuées de succès et d'insuccès divers, dont il leur fallut d'abord se déprendre pour découvrir le charme du peu. *«J'ai oublié bien des choses inutiles. J'en ai appris d'essentiel-*

les», écrit, comme en réponse, Bissière dans le texte-manifeste par lequel il préface en 1947 son exposition à la Galerie René Drouin, là même où les premières expositions de Dubuffet venaient de faire scandale. *«Peut-être,* ajoute-t-il, *ai-je appris à regarder en moi-même.*

A la similitude des démarches correspond, plus manifeste aux yeux du public, l'usage parallèle de techniques inusitées, l'expérimentation de matériaux extra-picturaux. Si Dubuffet se passionne alors pour les *Hautes-pâtes,* les impropables mélanges de céruse, de goudron et de graviers, Bissière recourt, pour ses *Tapisseries* – véritables tableaux de tissus – à des assemblages d'étoffe et de déchets textiles, à une façon de rapetassage primitive et sauvage. Alors même que sous l'influence de Lurçat les manufactures d'Aubusson donnaient aux tissages contemporains un nouvel essor (assez vite confondu par la critique avec un «renouveau»), les tapisseries de Bissière s'affirmaient insolemment pauvres, hors de toute idée de haute ou de basse-lisse. Chefs-d'œuvre du ravaudage, cet art, populaire par nature – à la façon de ces *patchworks* qui sont, dans leur souci de réemploi, de toutes les traditions rustiques – avait d'autres visées qu'artisanales. C'était moins le faire – *«En tous cas rien d'artisanal»,* insiste-t-il qui importait que l'émergence d'images, leur force de révélation. Car si, pour Dubuffet, *«l'art doit naître du matériau»;* pour Bissière *«le résultat seul compte».*

Encre de Chine, plume, 1928. 21 × 15 cm

De ces positions si mitoyennes – souci du spontané, invocation de l'art et de la musique populaire, refus des chefs-d'œuvre et de la perfection – qu'un début de relation amicale s'esquissa entre les deux peintres, il convient pourtant de tracer la limite. Plus proches l'un de l'autre que de la plupart des autres artistes qui leur étaient contemporains – *«Vous verrez,* écrit Dubuffet à Bissière, *nous réussirons à culbuter cette pyramide de stuc de la fausse peinture qui sévit actuellement, et tout ce faux art, et tous ces faux critiques d'art, et vous verrez, nous ferons à la fin quelque chose, et vous y participerez avec nous»* –, ils n'en cherchaient pas moins fondamentalement une autre direction. Rejetant tous deux un art plus fait de leçons que d'instinct, Bissière en cherchait l'issue dans une relecture même des origines de cet art quand Dubuffet n'envisageait qu'une esthétique de la table rase. Où Dubuffet entendait *«une fête de l'esprit», «un instrument pour provoquer la pensée – ou, si vous voulez, la voyance»,* Bissière voyait dans la peinture un *«épanchement»,* une *«confession (...) totale et sans pudeur».* A l'aperçu sur l'inconnu que souhaitait le premier, Bissière préférait l'émotion et le cortège des sentiments vécus. *«Si je ne l'avais pas fait,* écrit-il, *toutes ces couleurs, toute cette lumière qui se débattaient sous mes paupières m'eussent aveuglé.»*

C'est ce souci de dire une réalité immédiate où se confondent présent et souvenirs qui fait la trame commune des tableaux et tapisseries présentées en décembre 1947 à la Galerie René Drouin. Vision champêtre d'un monde où vachers et chevriers côtoient familièrement *l'Ange de la cathédrale* ou

Brou de noix, stylo et fusain, 1935.
14,5 × 15 cm

Saint-François d'Assise. Ce retour à l'origine et à la vie rustique – dont on pourrait trouver dans l'œuvre de Giono l'équivalence littéraire – s'il n'est pas étranger au climat des années de guerre – témoigne chez Bissière, au-delà de l'expérience quotidienne du séjour de Boissiérettes, d'un regard nouveau sur l'art roman et du désir, à son image, de mêler sacré et profane dans une écriture à la fois populaire et savamment élaborée. C'est d'ailleurs explicitement à deux des chefs-d'œuvre de cette époque – la *Tapisserie de Bayeux* et celle de *La Création* conservée à la Cathédrale de Gérone – qu'il se réfère comme au modèle de ses propres tentures.

Dans cette volonté, partagée par nombre de peintres après-guerre, de ressourcer la peinture à une autre tradition, l'art roman semblait, par sa *«liberté merveilleuse»*, le plus proche des acquis contemporains. Comme le rappelle Henri Focillon, *«l'art du XIe et du XIIe siècle n'est pas dominé par le despotisme de l'objet, par le souci de la copie fidèle et de la représentation intégrale, mais par la joie de sa propre courbe, par l'obéissance à sa propre loi»*. De surcroît, l'usage de la couleur, pratiqué par les peintres fresquistes

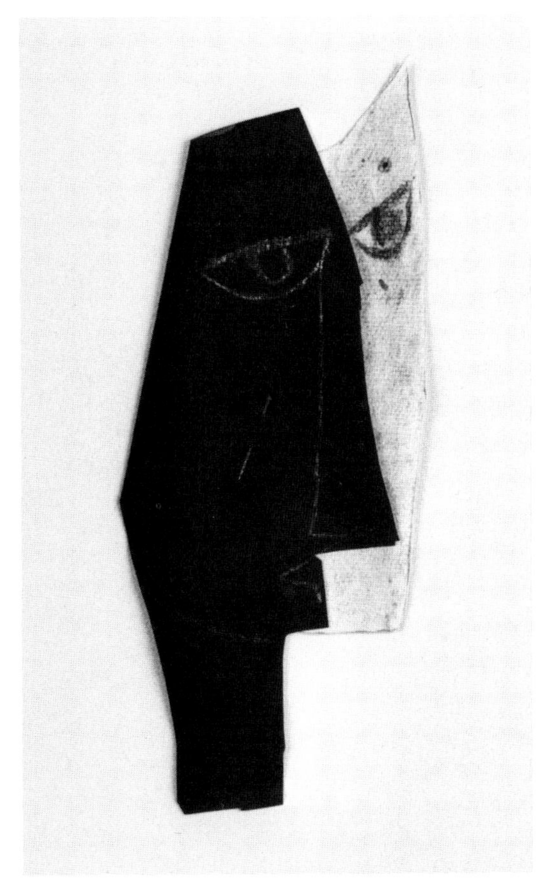

Papier découpé, craie et fusain, 1937.
28,5 × 12 cm

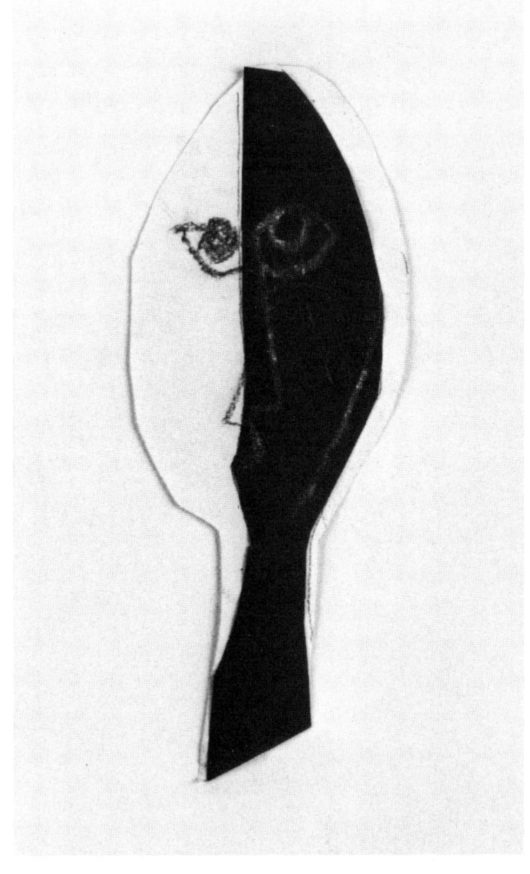

Papier découpé, craie et fusain, 1937.
27 × 10,5 cm

et qu'avait popularisé la publication des fresques de Tavant, rejoignait dans son emploi des ocres et des bruns le chromatisme feutré des lambeaux de tissus assemblés en tapisseries, comme celui des enluminures où dominaient les contrastes de bleus et de rouges répondait à la sonorité des toiles peintes à l'huile. Mais si cette liberté formelle de la peinture romane ne pouvait que séduire les peintres d'avant-garde, c'est aussi le mode de pensée qu'elle incarnait qui devait retenir Bissière.

Les années de vie simple à Boissiérettes, la frugalité forcée du temps de l'occupation, l'émerveillement quotidien devant les faits de nature, le rythme des saisons, l'amitié d'une vache – toutes choses que Bissière avait longtemps souhaité (durant la première guerre, il écrivait déjà à sa tante: *J'aspire de toutes les forces qui sont en moi, à la paix, à la tranquillité, au calme des champs, qui seul permet de réfléchir et de travailler. (...) Et puis – est-ce par suite d'un lointain atavisme – j'aime passionnément la terre, tout ce qui est simple, tout ce que les hommes n'ont point abîmé et sali, les arbres, les nuages, toutes choses mortes qui de jour en jour deviennent pour moi plus vivantes que les hommes.*) – le mettaient de plein-pied avec l'iconographie romane, son pouvoir elliptique mais évocateur de représenter les éléments du quotidien, sa spiritualité et sa crudité. Il s'agit dès lors pour Bissière, tant dans les tapisseries que dans les peintures qui leur sont contemporaines, de transcrire le monde avec le regard de l'émerveillement et de la découverte, avec une fraîcheur retrouvée, tel un primitif moderne.

C'est Ernst Gombrich qui soulignait que *«quand l'artiste médiéval de cette période* – celle de la tapisserie de Bayeux – *n'a pas de modèle à copier, il dessine plutôt comme un enfant»*. Aussi les artistes se sont-ils passionnés pour ce point d'émergence, en amont de la culture, où l'expérience formelle la plus audacieuse rejoint l'invention du primitif et la spontanéité de l'enfant. Pour Bissière, cette observation était d'autant plus cruciale que, si l'art primitif avait su le retenir au point que, avant et pendant la guerre, il réalisa plusieurs sculptures d'assemblage où se marque fortement l'influence de l'art nègre, la prime adolescence de son fils Louttre (né en 1926) lui avait été permanente démonstration des pouvoirs de l'enfance.

Eduqué par volonté paternelle hors de tout enseignement scolaire, Louttre avait conservé, passé l'enfance, un don du dessin et de la peinture qu'aucune convention apprise n'était venue altérer. Peignant à onze ans, avec la même aisance, des copies de Holbein, de Grünewald ou des toiles de son père que, malgré son jeune âge, la maîtrise technique et stylistique rendait difficilement discernables des œuvres de Bissière, Louttre ne pouvait par la liberté qu'il introduisait, comme en se jouant, dans la peinture, que fasciner un artiste pour qui un tel acquis était le résultat de trente ans d'expériences laborieuses. *«Il m'est apparu,* écrit en 1943 Bissière à son ami Pierre Gaut, *admirablement doué pour la peinture et ce qui est peut-être mieux encore, il a le don de mettre dans tout ce qu'il touche je ne sais quelle poésie, chose si rare et si essentielle. Ce qu'il fait est parfois bien, parfois mal mais jamais indifférent, et a toujours une force plastique indiscutable.»*

Alentour de 1937, un véritable dialogue pictural s'établit en effet, étonnant effet de symbiose, entre le père et l'enfant: ainsi Bissière incorpore-t-il à ses peintures des éléments dont le dessin reprend le travail de son fils, lui-même inspiré d'autres œuvres de son père. Mais tout autant que de l'invention plastique, c'est de la fraîcheur et de la spontanéité propre à l'enfance que Louttre donne un exemple d'autant plus immédiat que père et fils partagent le même atelier. Ainsi, en 1945, Bissière écrit-il à son fils absent: *«Dans mon atelier je pense constamment à toi, les toiles sont autour de moi, et je regarde de temps à autre les pastels ou les dessins, cela me donne parfois des idées que je transforme beaucoup mais qui au fond viennent de toi et que je n'aurais pas eu sans toi.»* Si nombre de peintres, après Paul Klee, se sont enthousiasmés pour les dessins d'enfant, jusqu'à en réaliser parfois des collections; pour Bissière, ce fut, après les longues années d'apprentissage

Plume et encre de Chine, 1936-1937.
34 × 26,3 cm

INRI
L 222

du métier de peindre et la découverte de la vacuité de celui-ci, l'incontournable leçon d'une peinture inventée hors de toute connaissance à partir de soi-même, clé de son œuvre ultérieure et de son renouveau.

Cette solution de continuité que marquent les années de retraite à Boissiérettes – de 1938 à 1947 – a été si fortement ressentie par la critique qu'elle a le plus souvent occulté l'évolution ultérieure de l'œuvre de Bissière, comme si le premier caractère de celle-ci était d'abord de s'opposer à la période d'avant-guerre. Malgré la disparité de leurs techniques, les trente-sept œuvres exposées chez René Drouin – sept tapisseries et trente peintures – relevaient d'une même esthétique privilégiant encore la lisibilité du tableau, sa structure figurative, même si, dans la confusion de terminologie généralisée de l'époque, de telles toiles comme toutes celles qui ne se référaient pas explicitement à une représentation académique apparaissaient *abstraites*. C'est dans ces œuvres que Bissière, sans plus démarquer aucun peintre, intègre pour la première fois son expérience des principes de la peinture cubiste, montrant qu'il en a définitivement, au-delà de la lettre, assimilé l'esprit. Par là s'explique jusqu'au traitement différent des toiles et des tentures, les premières utilisant le dessin comme une *grille* ouverte, une structure où viennent s'inscrirent les touches de couleur quand les secondes jouent du jointoiement de surfaces colorées dont l'imbrication même crée le dessin de l'œuvre.

C'est à l'exacte compréhension des moyens successifs de la peinture cubiste du début de ce siècle, ici parallèlement employés, que se réfère ce double langage. Pour les peintures est mise en œuvre une méthode proche de celle utilisée par Braque et Picasso pendant les années du cubisme analytique (1909-1911): le dessin, réduit à un réseau linéaire, structure la surface, l'organise selon un schéma qui fournit le code de lecture du tableau, tandis que la couleur posée par taches juxtaposées tend à souligner la marque du pinceau, à s'identifier à la touche du peintre. Mais où les peintres cubistes privilégiaient un dessin angulaire, éclaté, dont la densité d'éléments se faisait plus forte à la rencontre des volumes décrits, Bissière préfère une structure plus uniforme, d'abord composée (vers 1945) d'éléments triangulaires, puis s'appuyant sur le seul jeu des horizontales et des verticales, véritable grille ouverte, semblable au plomb du vitrail, sur laquelle viennent se greffer des éléments narratifs traités avec un schématisme quasi-enfantin. A la différence toutefois de la peinture cubiste, où l'usage d'un camaïeu gris ou blond rendait évidente la prédominance du trait, les peintures de Bissière exposées chez Drouin sont d'un chromatisme éclatant qui accentue la ténuité de la ligne, fait du dessin le réseau nerveux de l'image, le contrepoint de la couleur.

Pour les tapisseries, en revanche, ce sont les principes du papier collé, ceux même qui donnèrent naissance au cubisme synthétique qui sont, au contraire, mis en œuvre. Chaque pièce de tissu, chaque bribe de galon, chaque

morceau d'étoffe vaut d'abord comme forme autonome, comme couleur et comme matière, même si tout l'art de Bissière consiste justement à donner cohérence à ces fragments hétérogènes, à les ordonner en une image unique. Les cubistes introduisaient le papier collé dans leur œuvre pour confronter leur dessin à la réalité du monde extérieur, en vérifier ainsi la force et l'authenticité; en agissant de même avec les trésors ou les rebuts du grenier, c'est de son rêve intérieur que Bissière entendait garantir la justesse, confrontant chaque image à ces fragments riches d'histoires et de souvenirs. Tout dans ces œuvres, jusqu'aux points de couture qui assemblent entre eux les lambeaux de tissu, est traité comme élément plastique: le fil de laine y remplace le trait de crayon, tout comme une pièce de cotonnade rayée peut servir à hachurer l'ombre d'une figure. Mais d'être réalisés à partir d'éléments marqués par l'emploi quotidien, riches d'usages et d'usures, donne aux tentures de Bissière un caractère d'*objet* et ancre leurs images au-delà de tout illusionnisme dans la réalité la plus familière.

C'est peut-être de ce même souci d'échapper au registre de l'art tel qu'on l'entend qu'est née l'habitude de peindre dans certains tableaux contemporains des tapisseries, à l'intérieur même de la toile, une manière de cadre, parfois souligné d'un cartouche contenant le nom de l'artiste qui fait alors office de signature, comme si l'image gagnait tout à la fois, grâce à cet entour, une plus grande objectivité et une certaine distance non dénuée d'ironie. Ainsi que le souligne justement Didier Semin, à propos de Seurat dont Bissière avait étudié l'œuvre, *«comme marque de la limite* [le cadre] *est aussi un frein à l'illusion».*

Mais la bordure peinte par Bissière entend d'abord rappeler cet espace au-delà du tableau, celui du mur où il s'inscrit. De par leurs dimensions mêmes, les tentures possèdent naturellement pour leur part cette qualité murale, ce rapport à l'architecture qui les supporte et les enserre. Il est intéressant de voir comment dans celles-ci Bissière retrouve les grands principes de la fresque romane: mise en place des différents motifs à l'intérieur d'espaces précisément délimités par des bandeaux ou des bordures à ornements géométriques, suppression de la perspective classique au bénéfice d'une lecture hiérarchique des éléments – une perdrix ainsi pourra avoir même grandeur qu'un personnage –, organisation de la surface en registres horizontaux coupés de verticales qui donnent à la lecture de l'image une richesse polyphonique, symétrie enfin des éléments qui assure la monumentalité de la composition et lui donne son évidence imposante et statique.

C'est pourtant d'abord la planéité de la peinture romane qui semble avoir impressionné Bissière. Par son ignorance des lois perspectives, la fresque romane possède intuitivement cette qualité bi-dimensionnelle qui, depuis Cézanne, est une constante recherche de la peinture moderne. Formé à l'esthétique cubiste, Bissière, quelque soit la liberté dont son œuvre témoigne par la suite, ne devait jamais remettre en question cette conception du tableau comme image plane et ne pouvait, par là même, qu'être sensible aux inventions plastiques des maîtres romans pour suggérer l'idée de profondeur. Peintures et tentures possèdent justement en effet ce sens de la réduction à deux dimensions des figures, cette capacité à transcrire l'image du réel dans son épaisseur et sa complexité sans recourir aux artifices de la vision perspective.

Au-delà de ce qui pourrait sembler simple volonté esthétique, se révèle en fait, plus qu'une conception de la peinture, une lecture du rapport de l'homme et du monde. Au point de vue unique de la perspective renaissante, organisant l'univers à partir de qui la regarde, assurant sur toutes choses la primauté de l'individu et de l'ordre qu'il génère, Bissière oppose un système éclaté, véritable cosmogonie qui suggère une ordonnance différente du monde, une attention aux choses humbles, une équivalence de l'être, de la feuille ou de l'oiseau et où prend peut-être naissance ce jeu de pictogrammes qui ne cessera plus guère dès lors d'habiter sa peinture.

Après dix ans ou presque de retrait de la scène artistique, Bissière, quelle que fut la distance ainsi acquise, ne pouvait que ressentir durement la réception qui fut celle de son exposition. Une presse réduite, des ventes peu nombreuses firent de cette manifestation moins qu'un succès public. Seule

Fusain, 1944. 14,5 × 21 cm

s'affirmait l'estime des artistes – anciens élèves de l'Académie Ranson comme Bertholle ou Le Moal, amis comme Manessier (dont l'influence fut déterminante dans la décision de René Drouin d'exposer Bissière) ou autres peintres de la galerie comme Dubuffet – même si ne devaient pas tarder parfois à poindre les signes d'une rivalité. A cinquante et un ans et malgré son passé, Bissière se retrouvait dans la situation d'un jeune peintre, au seuil d'une nouvelle carrière. Plus qu'à son œuvre antérieur, la critique dans l'attention qu'elle lui portait, se montrait sensible au rôle joué à l'Académie Ranson comme accoucheur d'une génération, lui attribuant naturellement la paternité de cette nouvelle tendance, tranchant, malgré les dénégations de Bissière, la question des influences au bénéfice de l'âge. Ainsi Bissière écrit-il au directeur du journal *Combat*, à la suite d'un article de René Guilly:

«Mes recherches sur la couleur ne datent que de 1944, tandis que celles de Manessier et Le Moal datent de 1942. On ne saurait donc en aucune façon déduire les secondes des premières.» Il se plaisait même à minimiser son rôle à l'Académie Ranson jusqu'à préciser en 1952 dans une lettre à un critique: *«Parmi la liste que vous donnez de ceux qui ont bien voulu me demander conseil, figure le nom de Singier. (...) Je ne veux pas qu'on puisse me reprocher d'avoir annexé un artiste que je n'ai pas connu et qui s'est développé sans que*

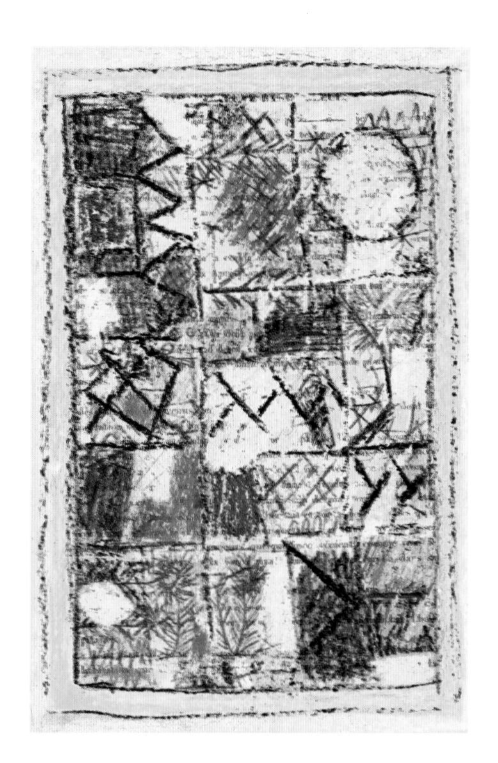

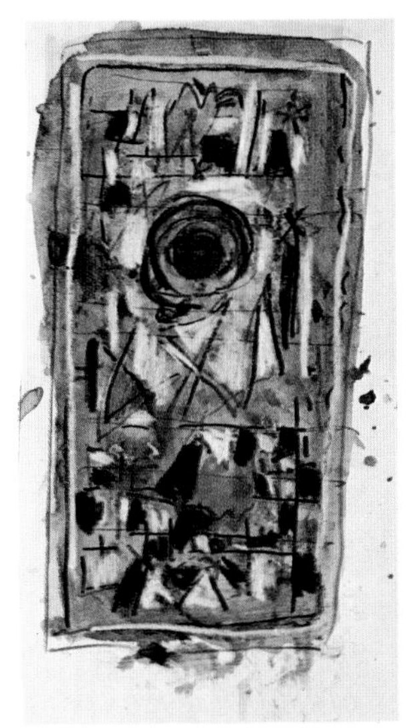

j'aie contribué de quelque manière que ce soit à son évolution. Si c'était possible, j'aimerais aussi mieux que, pour les autres, vous supprimiez le mot professeur pour le remplacer par celui de conseiller, car j'ai horreur des professeurs et ne voudrais pas passer pour tel.»

Il n'en reste pas moins que l'incompréhension relative qui entoura la présentation de ses peintures récentes a sans doute permis à Bissière de se sentir libre de toute formule, de toute image acceptée de son œuvre. La *Grande composition* achevée à son retour de Paris, fin 1947, marque en effet un tournant décisif dans son mode de peinture. Réalisée à la tempera pour obtenir une matité plus grande de la couleur – technique à laquelle il restera fidèle jusqu'en 1954 –, cette œuvre semble renoncer aux prestiges faciles des bleus, des rouges et des oranges, à leur luminosité séduisante – d'ailleurs mis en œuvre par un nombre toujours plus grand de jeunes peintres dont le travail commence à se révéler (c'est ainsi qu'en juin 1947, Bissière découvre, non sans un regard critique, dans un album qu'il s'est fait envoyer de Paris, les œuvres de Bazaine, Estève et Lapicque) – pour revenir aux fonds sombres d'avant-guerre dans lesquels se découpent, à la manière de fenêtres, des plages colorées contenant chacune un motif différent. Si cette imbrication d'espaces prend d'évidence naissance dans les registres superposés des tapisseries, le fond sombre qui en forme le tissu conjonctif donne à ce tableau une qualité de clair-obscur, en accentuant à la manière des verrières, lumineuses dans l'obscurité des cathédrales, la qualité poétique. Mais surtout, c'est la manière même de figurer les éléments du réel qui est réinventée dans ces îlots colorés que cerne la nuit. Homme, vache, plante, poisson, étoile, leur répertoire reste le même que celui des œuvres exposées chez Drouin. Toutefois, à l'image que Bissière s'attachait jusqu'alors à reproduire avec candeur – retrouvant la vision de l'enfance ou de l'art brut – se substitue dès lors un pictogramme élaboré qui fait basculer la peinture de la transcription d'un univers vu à une forme de cosmogonie.

Par l'usage du pictogramme, Bissière renoue avec la plus ancienne condition du langage et affirme au-delà de toute notion temporelle sa condition de *primitif*. Ce qu'il avait cherché dans le rejet de la culture apprise, dans la fréquentation de la sculpture africaine et des tapas océaniens, dans la familiarité des dessins d'enfant, c'est dans ce mode d'expression primordiale, cette *Ur-sprache,* qu'il va en trouver à la fois l'incarnation et les moyens. Ce désir, commun à tant d'artistes modernes et dont Klee a donnée dans sa conférence à Iéna en 1924 la définition la plus aiguë: *«Remonter du Modèle à la Matrice»,* l'assure désormais que sa sensation la plus immédiate rejoint l'expérience la plus ancienne et que c'est en étant le plus proche de l'instant que sa peinture acquiert une dimension intemporelle. L'utilisation du pictogramme fait définitivement du réel quotidien de Boissiérettes l'image même du monde dans sa richesse et sa multiplicité.

Lorsque la peinture de Bissière entendra par la suite, dans les développements non-figuratifs qui vont être les siens, préciser plus explicitement le lien qu'elle établit avec la sensation, c'est au moyen des pictogrammes qu'elle fera désormais appel. Signes dans l'empire des signes que forment alors ces tableaux, ils garantissent la véracité des graphismes de la peinture, leur charge de réalité sous-jacente, illisible peut-être mais authentique. Soucieux de ce lien avec une réalité présente sinon identifiable, Bissière s'est, en de nombreuses occasions, élevé contre l'assimilation de sa peinture à l'art abstrait. Ainsi précisait-il en 1960 à Georges Boudaille: *«Je n'ai cessé de répéter que si j'étais non-figuratif, je me refusais absolument à être abstrait: pour moi, un tableau n'est valable que s'il a une valeur humaine, s'il suggère quelque chose et s'il reflète le monde dans lequel je vis. Le paysage qui m'entoure et le ciel sous lequel j'évolue, la lumière du soir ou du matin, tout*

cela je ne cherche certes pas à l'imiter, mais inconsciemment je le transpose et le rétablis dans tout ce que je fais. Je recrée ou plus exactement hélas, j'essaie de recréer un monde à moi, fait de mes souvenirs, de mes émotions, où demeurent l'odeur des forêts qui m'entourent, la couleur du ciel, la lumière du soleil, et aussi l'amour que j'ai de tout ce qui vit, des plantes, des bêtes, et même des hommes et de leur condition misérable. Pour moi un tableau abstrait est un tableau raté, toute vie en est absente, c'est comme si on empaillait le monde.»

Dans l'esprit de la *Grande Composition* de 1947, vont ainsi voir le jour une suite d'œuvres de petit format, d'abord peu nombreuses du fait de la diminution progressive d'acuité visuelle qui depuis quelques années frappe Bissière, puis, après l'opération d'un glaucome à laquelle il se résoud en 1950, en quantité importante. Peintes à l'œuf sur toile, mais plus souvent sur carton, sur bois, sur papier marouflé, ces œuvres semblent manifester un goût privilégié pour les supports les plus pauvres, ceux qui, à l'inverse de l'impeccable toile vierge, possèdent déjà une qualité d'objet, une vertu personnelle. Nombre de peintures de Bissière ont été ainsi réalisées sur de simples feuilles de papier ensuite marouflées, comme si, depuis les années de guerre, peindre tel qu'il le concevait, était tributaire d'une modestie d'expérimentateur, d'une discipline domestique qui assignait à la gratuité de cet exercice l'usage de ces innombrables fragments – papiers, planchettes, cartons – conservés en vue d'un usage éventuel et toujours reporté, l'utilisation des rebuts, *l'économie du pain perdu.*

Encre de Chine, brou de noix, fusain, 1947.
20,5 × 14,5 cm

De cette rigueur quasi-monacale, l'usage de la tempera soulignait l'esprit. Matériau privilégié des maîtres primitifs, la peinture à l'œuf était celle d'un art où l'ingénuité de la conception l'emportait sur le savoir-faire technique. N'était-ce pas à cette simplicité première que songeait Bissière lorsqu'il écrivait en 1950 à son ami Jeanneret: *«Je continue à mettre des couleurs sur de la toile et grâce au ciel j'ai conservé assez de candeur pour y prendre encore plaisir.»* L'opacité de la tempera, la matité de sa surface ne pouvaient que séduire l'amateur de fresques romanes tout comme la sonorité des tons, pleine et franche, se devait de retenir celui pour qui la peinture était d'abord le fait de *«mettre des couleurs»*. Les critiques et les exégètes du peintre, Bissière lui-même, ont souvent associé l'évolution stylistique de son œuvre à l'état de sa vision. Ainsi confiait-il, parlant des effets de son glaucome, à Max-Pol Fouchet: *«Je vécus dès lors dans un monde fantastique. Cela me pousse à la couleur. Les blancs s'irradient, je dois colorer davantage.»* Pourtant, malgré la confidence du peintre, qui jusqu'à l'intervention de 1950 voit sa vue *«baisser insensiblement mais d'une façon continue»,* il est difficile de réduire à un problème d'acuité visuelle une évolution si maîtrisée et progressive. De la *Grande Composition* de 1947 aux *Images sans titre,* présentées en 1951, c'est une lente mutation de la peinture qui s'opère durant laquelle va

Fusain, 1945. 18 × 19,5 cm

se défaire progressivement la lisibilité des signes tandis que s'impose toujours plus fortement le pouvoir de la vibration colorée.

Le moindre paradoxe de ces *Images sans titre,* exposées en 1951 à la Galerie Jeanne Bucher, n'est pas la présence parmi celles-ci de nombreux tableaux éloquemment titrés: *Le soleil noir* (1949), *Oiseau de nuit* (1949), *Plein soleil* (1950), *L'étoile blanche* (1950) et surtout *Ile de Ré* (1950) et *Hommage à Angelico* (1950). Ce dernier tableau a en réalité valeur de manifeste dans la mesure où si la plénitude de son accord coloré rouge, bleu et jaune répond à ce *«charme d'une couleur délicate»* que Bernard Berenson reconnaît chez l'artiste florentin, c'est d'abord de l'esprit du Maître du *Couronnement de la Vierge* que Bissière se réclame. N'est-ce pas de ses *Images sans titre* et de lui-même que l'on pourrait dire au prix de peu de transposition ce qu'écrivait Berenson de l'Angelico: *«Excusons-le de s'expliquer si peu sur l'évènement qu'il représente, tant il excelle à nous communiquer les sentiments que cet évènement lui inspire. Cet homme tout d'une pièce, au*

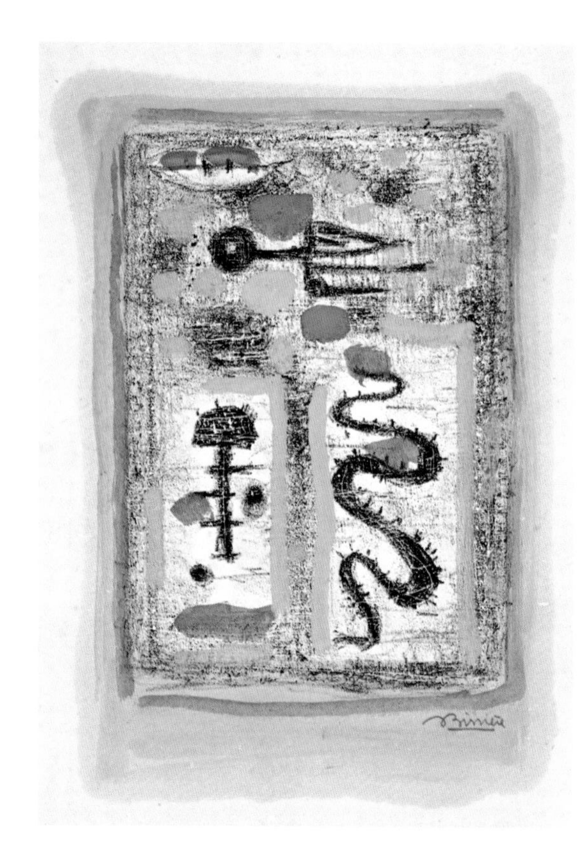

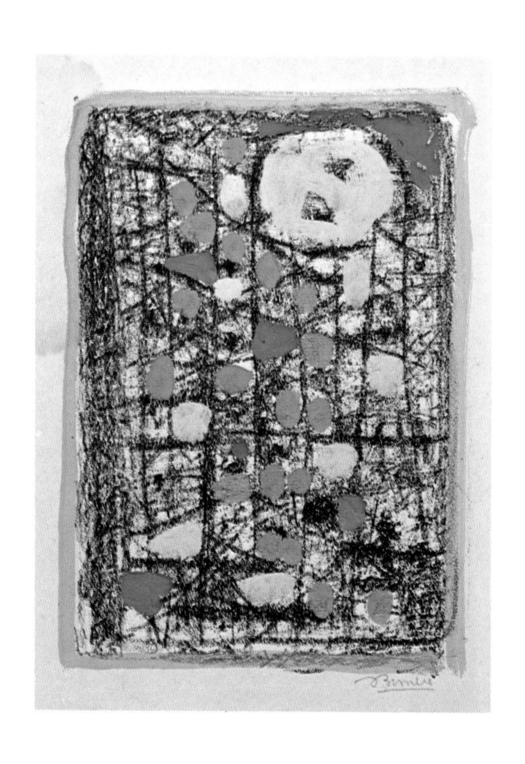
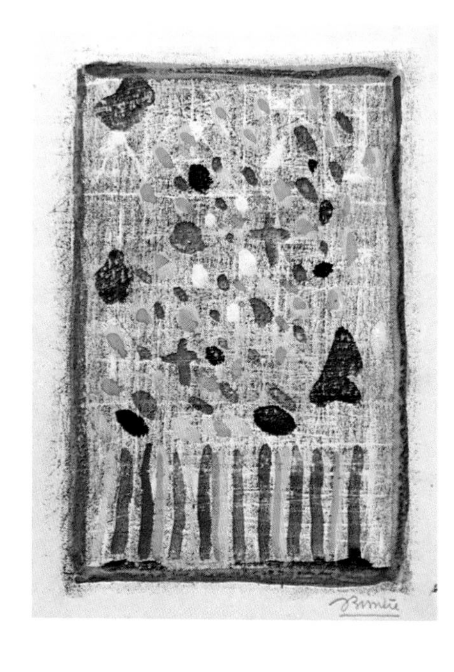

message si uni et si simple, était pourtant le produit de deux courants bien opposés, à tel point qu'il incarne pour la peinture la transition entre le Moyen-Age et la Renaissance. C'est dans le Moyen-Age qu'il puise ses sentiments, mais c'est presque à la moderne qu'il les goûte et qu'il les exprime.» Ce rôle de passeur, c'est précisément celui que Bissière a effectué tant par son enseignement que par sa peinture et son attitude morale envers une bonne part de la génération qui se fera connaître après-guerre sous le nom générique d'Ecole de Paris.

On peut être prisonnier de ses admirateurs. Ainsi, pour Bissière, ceux qui furent ses anciens élèves ont, en fait, déterminé par leur sympathie même la lecture de ses travaux, les réduisant à une variante du paysagisme abstrait, à leur propre conception. Aux yeux d'une critique plus soucieuse d'établir la cohérence d'une époque que d'analyser la singularité des œuvres, cette notion a souvent prévalu. C'est oublier que son œuvre, plurivoque, exempte de tout systématisme, joue sur de multiples registres. Si, en 1947, elle pouvait retenir Dubuffet qui y voyait une des attaques les plus directes contre le conformisme en art, en 1951, c'est Nicolas de Staël qui s'arrêtait à une œuvre comme *Ile de Ré* (1950) où l'usage de la couleur par juxtaposition de teintes franches, la figuration elliptique – d'ailleurs exceptionnelle parmi les œuvres de cette époque en général moins enclines au naturalisme – ont pu servir de référence lors du retour de celui-ci à des structures figuratives. C'est que l'œuvre de Bissière, comme celle de Klee, dont elle rappelle alors parfois l'humeur poétique, ne se laisse guère enfermer dans une définition unique. Lui-même l'affirme dans le texte qu'il écrit en guise de présentation à sa rétrospective au Stedelijk Museum d'Amsterdam en 1958: *«J'ai horreur de tout ce qui est systématique, de tout ce qui tend à m'enfermer dans des barrières».*

Plus que dans toute autre époque de son œuvre, Bissière, entre 1948 et 1954, multiplie les solutions plastiques, les inventions formelles. L'étonnante disparité d'allure de ces peintures rend encore plus sensible leur communauté de sentiment, leur champ d'émotion. Rarement liées à la vision réaliste – comme *Ile de Ré* ou *La Plage* (1950) –, parfois habitées de figures proches des graffiti ou de l'écriture des toiles présentées chez Drouin, le plus souvent ponctuées de pictogrammes plus ou moins immédiatement déchiffrables, voire de simples signes sténographiques animant une plage de couleur, ces œuvres témoignent non de l'image du monde mais de sa présence, affirment moins une volonté de représentation que de révélation. C'est peut-être la diversité même des modes de composition qui donne à ces *Images sans titre* et aux tableaux qui les ont suivies leur caractère spontané et leur diversité. Nul système n'a ici cours et il semble que Bissière se plaise à chaque tableau à réinventer la peinture dans une totale innocence de ses recettes et de ses moyens. Il est certes dans ces œuvres, quelle que soit leur invention, des évidences statistiques: goût prononcé pour les formats étroits et allongés –

le plus souvent utilisés verticalement –, juxtaposition de motifs divers dans la même œuvre par le biais de «fenêtres» autonomes, composition en strates successives qui tendent à imposer au regard une lecture moins immédiate, mais surtout présence autour du tableau d'un cadre peint à même le support, à longs traits de pinceaux ou par petites touches répétés, enchâssant l'image avec un raffinement semblable à celui des enluminures médiévales serties dans de précieux filets d'or et de couleur.

C'est naturellement cette relation au travail des enlumineurs qu'évoque la réalisation en 1953 et 1954 du *Cantique à notre frère Soleil* de François d'Assise. Cette entreprise qui prend place au rang des plus remarquables accomplissements du livre de peintre après-guerre, témoigne toutefois de cette approche particulière qui rend si singulière la position de Bissière dans le monde de l'art. Alors qu'un des traits caractéristiques de ce renouveau du livre illustré, où les peintres prennent le pas sur les illustrateurs, fut, comme le souligne justement François Chapon, *«de délivrer aussi l'illustration du monopole de certaines techniques, de la gravure sur bois, notamment, que les prétendus amateurs, en raison de ses similitudes d'impression avec la typographie, considéraient comme préférable à toute autre»* et d'assurer ainsi la prééminence de la gravure sur cuivre et surtout de la lithographie, Bissière, à l'inverse de ce mouvement général, choisit de graver sur bois les planches de son ouvrage. Rien moins pourtant qu'un souci d'orthodoxie vis-à-vis des traditions bibliophiliques ne peut être retenu au regard de ce livre où texte et illustrations ne font qu'un et d'où est exempte toute typographie. La liberté de Bissière, travaillant chaque page dans l'esprit des manuscrits à peinture ou des antiphonaires, l'amène en fait à renouer avec la tradition première du livre tout comme les tapisseries de 1947 retrouvaient l'esprit des tentures médiévales. Pour mener à bien une telle entreprise, Bissière s'adjoint alors le concours de Marcel Fiorini qui, à partir de peintures sur papier, réalise le transfert sur bois des images et les tire, selon le procédé qu'il vient de mettre au point, à la façon de tailles-douces. Cette manière alors inédite de traiter la gravure sur bois et qui consiste à graver en creux le motif à reproduire au lieu de l'épargner, puis à tirer la matrice ainsi réalisée comme une gravure sur cuivre – l'encre se trouvant dans les entailles du bois tandis que la surface en contact avec le papier reste nue – a permis à Fiorini de traiter avec toute la finesse nécessaire le texte à calligraphier, lui conservant sa qualité d'écriture manuscrite et d'échapper à ce que l'on pensait l'inévitable raideur de la xylographie.

Le choix, en place d'un poète contemporain, de François d'Assise, s'il traduit sur le plan de la sensibilité du peintre l'adhésion à cette vision franciscaine dans laquelle certains critiques ont vu la clef de son œuvre – dès 1947 figure en effet dans l'exposition de la Galerie Drouin une effigie du Saint –, tend aussi à placer toute la réalisation de l'ouvrage dans cet esprit de simplicité si différent de l'habituelle prétention de ces livres de bibliophilie

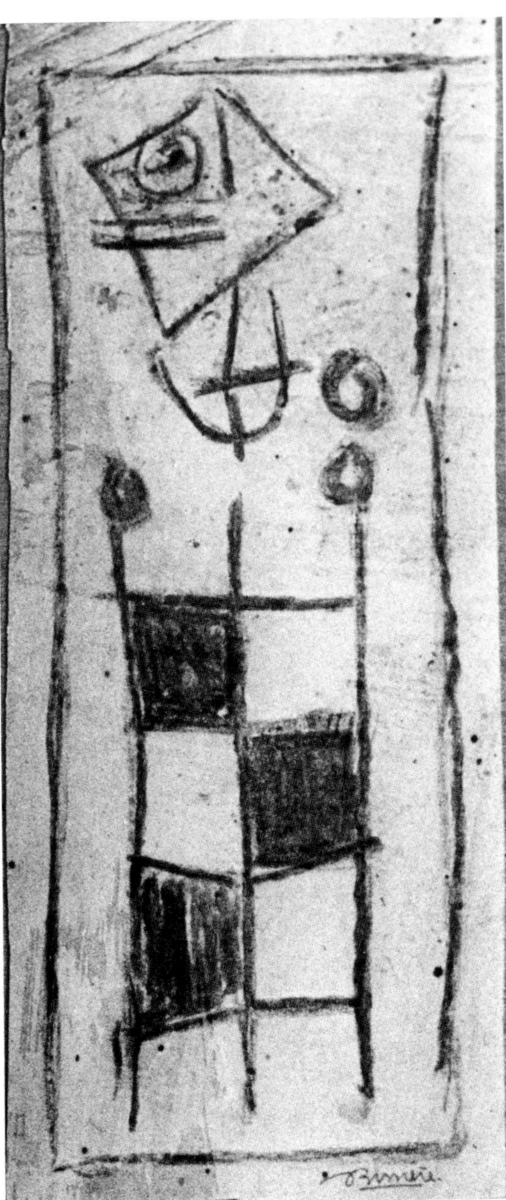

communément appelés *livres de luxe*. Création d'artisan inspiré à l'esprit duquel concourt tant la rugosité du papier, le parchemin de la couverture que l'apparent archaïsme du mode de gravure, le *Cantique à notre frère Soleil* a incité Bissière à s'intéresser parallèlement aux modes de reproduction de l'œuvre et aux techniques de l'estampe.

Ainsi, en 1953, expérimente-t-il la lithographie, réalisant quelques pierres dont la plupart ne seront tirées qu'en épreuves d'essai. Toutefois l'usage qu'il fait alors du crayon lithographique et l'accent ainsi mis sur la prédominance du signe et du dessin sont peut-être paradoxalement à l'origine de son retour quasi-exclusif à la peinture et de la nouvelle définition qu'il va alors en donner.

Fusain et gouache, 1947. 25 × 12 cm

Fusain, 1947. 25 × 12 cm

Fusain et gouache, 1947. 28 × 13 cm

Gris et bleu, 1954
Huile sur papier marouflé sur bois, 65 × 19 cm

Au printemps de 1954 en effet, Bissière abandonne la tempera pour revenir à l'usage de la peinture à l'huile. Ce qui, à première vue, pourrait sembler n'être qu'un changement de medium est, en fait, la marque de l'ultime mutation de son travail, celle qui donnera aux dernières dix années de sa production leur unité et leur spécificité. De ce moment, ses tableaux sont – sauf exception d'un artiste qui n'entend se refuser aucune possibilité – exempts de toute image ou de tout pictogramme et le plus souvent construits par juxtapositions de touches colorées, selon une structure plus ou moins affirmée, celle de la *grille*.

Dans un essai pertinent, Rosalind Krauss souligne que si la présence de la grille est, depuis le cubisme, l'une des constantes de l'art contemporain et le signale même en tant que tel, c'est d'abord parce que celle-ci n'apparaît qu'avec la peinture de notre époque. Analysant la nature de la grille et ses pouvoirs, elle remarque:

«Dans le sens spatial, la grille affirme l'absolue autonomie du domaine de l'art. Aplatie, géométrisée, ordonnée, elle est antinaturelle, anti-mimétique, anti-réelle. Elle est ce à quoi l'art ressemble quand il tourne le dos à la nature. Dans la planéité qui résulte de ses coordonnées, la grille est le moyen de ne pas laisser place aux dimensions du réel et de les remplacer par l'étendue latérale d'une simple surface. Dans l'uniforme régularité de son organisation, elle est le résultat non de l'imitation mais d'un jugement esthétique. Dans la mesure où son ordre est celui de la pure relation, la grille abroge l'exigence des objets naturels d'un ordre particulier à eux-mêmes, les relations instaurées par la grille dans le champ esthétique étant sui generis *et au regard des objets naturels à la fois antérieures et définitives. La grille fait de l'espace de l'art un espace à la fois autonome et autotélique.»*

L'usage alors retrouvé de la peinture à l'huile offre justement à Bissière, par rapport à l'utilisation de la grille, une transparence de la couleur, une qualité de clair-obscur, une profondeur spatiale qui donne au tableau une vibration nouvelle. A cette affirmation de la surface qu'est la grille, à son évidente planéité, Bissière oppose, grâce aux ressources de la couleur, une perception ambiguë de l'espace, comme une respiration du tableau. Ce sentiment, qui ne remet pourtant jamais en question la conception frontale de sa peinture, est encore accentué par la bordure peinte du tableau – le cadre intérieur constant depuis 1945 dans son œuvre – qui, interrompant la grille avant qu'elle ne rencontre les bords de la toile, crée tout à la fois un effet de suspens de la masse colorée et donne à celle-ci une situation spatiale indéfinissable puisqu'elle peut tour à tour se lire comme apposée sur un fond ou apparaître au contraire dans l'intervalle d'un cadre qui l'enchâsse.

Si Bissière n'applique jamais à ses œuvres, à la manière de Mondrian par exemple, le concept de grille comme système préalable à la peinture, la grille n'en est pas moins – évidente, secrète, voire brouillée – la résultante de tous ses tableaux dans les dix dernières années de son œuvre. C'est que la vision

du monde à laquelle il parvient alors ne doit plus à la réalité qu'une émotion qu'il faut transcrire sans jamais la réduire à la représentation d'éléments figuratifs ou symboliques. *«A la poursuite d'images profondes, le voyage avait bien fini par devenir intérieur»,* écrit Philippe Jacottet. C'est ce qui se passe alors dans l'œuvre de Bissière. Chaque tableau révèle moins désormais la lumière d'un paysage, l'espace d'un regard ou le frémissement de l'air qu'il ne raconte l'émotion d'un homme face à la réalité du monde, saturé de sa beauté humble et silencieuse, obstiné face à son inexorable disparition à en conserver les traces. *«Ma peinture,* écrit Bissière en 1958 en exergue au catalogue de sa rétrospective à Amsterdam, *est l'image de ma vie. Le miroir de l'homme que je suis, tout entier avec ses faiblesses aussi. Devant ma toile, je ne pense pas au chef-d'œuvre. Je ne pense même pas au résultat. Je me berce d'histoires improbables et je mets des couleurs dessus. Ces couleurs et ces formes n'ont d'autre désir que d'être celles de mes rêves. De mes joies et de mes peines. Je vous les livre telles que je les ai crées. Je n'ai point honte de leurs faiblesses, ni d'orgueil de leurs réussites. Les unes paraissent aussi émouvantes que les autres. (...) Mes tableaux ne veulent rien prouver, ni rien affirmer. Ils sont la seule façon en mon pouvoir de restituer des émotions indicibles autrement. Je peins pour être moins seul en ce monde misérable.»*

Encre de Chine, plume et lavis, 1952.
19 × 14 cm

Cette solitude du créateur va, en 1962, s'augmenter de la solitude de l'homme, lorsque va disparaître, après plus de quarante années de vie commune, sa femme Mousse. Ce deuil cruellement ressenti marque un temps d'arrêt dans l'œuvre de Bissière. La confiance en la peinture, peu à peu reconquise au fil des années et dont témoigne alentour de 1960 la multiplication des œuvres de grand format parmi lesquelles on compte quelques-uns de ses chefs-d'œuvre – *Cantilène de la nuit* (1961), *Le Jardin cette nuit* (1961), *Blanche aurore* (1961), *Agonie des feuilles* (1962) –, semble à nouveau compromise et le silence se fait, comme pendant les années de guerre. Avec Mousse, Bissière a perdu son témoin privilégié. Bien plus que celle qui l'a *«aidé à donner une réalité concrète et durable à ces images faites de pièces et de morceaux en les cousant patiemment durant des mois de ces mêmes mains humbles et laborieuses qui surent tisser un peu de bonheur autour de* [sa] *vie»* et qu'il célébrait dans le catalogue de René Drouin, elle était celle qui savait l'épaisseur d'errances et d'inquiétudes dont étaient faites ces œuvres d'apparence si sereine qui sont celles des dernières années de Bissière. Ainsi luimême écrivait-il *«La peinture comme la vie n'est que contradictions, une œuvre ne se déroule pas comme une courbe harmonieuse, mais comme une ligne brisée pleine de doutes et de repentirs. Mes erreurs étaient sans doute indispensables à mes réussites. Je ne renie pas plus les unes que les autres. J'accepte mon destin et qu'une vie humaine ne comporte pas que des victoires».*

Le *Journal en images* par lequel Bissière renoue avec la peinture est une manière d'offrande continue à la mémoire de Mousse. Sur ces petits panneaux d'aggloméré ou de toile, ce qu'il fixe précieusement, c'est la présence

Encre de Chine, plume et lavis, craie, 1952.
18 × 14,5 cm

d'un monde quotidien et fugitif, dont l'émotion ne peut désormais plus se partager et que la peinture seule permet de dire. Datés chacun d'un jour mais le plus souvent peints à une semaine et parfois une quinzaine d'intervalle, ces tableaux sont miroirs non des choses mais de leur intimité, voire de leur souvenir. Leurs dimensions mêmes – à peine plus grandes qu'une feuille de papier à lettre – achèvent de donner à ces tableaux valeur de message, de confidence. Ainsi sur ces panneaux s'inscrivent au fil des jours le rythme des saisons, le frimas de mars, la lumière de l'été, les brouillards de l'automne. Ainsi que l'écrit Bissière: *«J'absorbe ce qui m'entoure et je le restitue comme je peux. La peinture à mon sens n'est pas un choix mais une fatalité. Comme le pommier nous donnons des pommes mais nous ne saurons jamais ni pourquoi ni comment.»* Au cours de cette lente transfusion d'un monde ainsi sauvé de l'oubli et de la disparition, reconquis sur la mort, des images font soudain retour: celle d'une barrière et d'un parc aux promenades désormais oubliées, le nom de Rose Marie, un soleil ou un cœur, tout l'appareil de la mémoire, ces choses simples que l'on appelle la vie d'un homme.

Ce journal *«qui en fin de compte est peut-être une revanche sur la mort»* est sans doute la part la plus intime et la plus tragique de l'œuvre de Bissière, la plus tendre aussi. Plus que tout autre, elle réfute mots et commentaires car comme Roger Munier le dit des *Haikus* japonais: *«Il s'agit pour elle de susciter un mouvement de l'esprit vers la chose* comme elle est, *dans l'instant de sa révélation soudaine et là. Et disant la chose comme elle est, d'atteindre à cette nécessité incontournable qui la fait justement ce qu'elle est, sans question, sans pourquoi* ainsi *sans plus, dans une sorte d'antériorité soustraite au temps qui est au cœur de l'illumination subite.»* Au regard du peintre, Bissière a désormais substitué le regard du cœur.

Tout à cette œuvre exemplaire dans sa concision et son exigence morale, Bissière ne semble pas s'être affecté outre-mesure des péripéties de la Biennale de Venise où il représente la France en 1964. Cette mention d'honneur qui lui est accordée «en reconnaissance de l'importance historique et artistique de son œuvre» quand le Grand Prix de peinture est attribué à Rauschenberg, semble lui indifférer autant que l'avait fait, en 1952, sa nomination au premier Grand Prix national des Arts. Dans la solitude de Boissiérettes, loin des querelles sur Pop'art et Ecole de Paris, se poursuit pour quelques mois encore son *«voyage au bout de la nuit»*. Lorsque la mort le prend, le 2 décembre 1964, son œuvre se conclut sur quatre tableaux en forme de testament: *Silence de l'Aube, Silence de Midi, Silence du Crépuscule* et *Silence de la Nuit*. Comme parvenu au-delà des mots, au terme de cette *«confession totale et sans pudeur»* que forme son œuvre, le peintre, de ce regard définitivement ouvert sur la nuit comme celui des masques égyptiens, découvre enfin, lorsque tout se tait, comme une promesse d'éternité.

Scène de chasse, vers 1918
Huile sur toile

Les amis Aublet, Labatte et Lewino. 1920

Paysage, 1921

Le pont, 1920
Huile sur toile, 101 × 72,5 cm

La femme au manteau, 1923-1924
Huile sur toile, 38 × 55 cm

Nature morte, 1924
Huile sur toile marouflée sur bois, 54 × 73 cm

Nature morte, 1924
Huile sur bois, 65 × 54 cm

Paysage, 1925
Huile sur toile, 135 × 85 cm
Musée National d'Art Moderne, Paris

Nature morte, 1927-1928
Huile sur toile

Paysage, 1927
Huile sur papier marouflé sur toile, 38 × 61 cm

Paysage, 1927
Huile sur toile, 55 × 38 cm

Le rêve, 1928
Huile sur toile

Intérieur, 1936
Huile sur toile, 38 × 55 cm

Le modèle, 1936
Huile sur papier marouflé sur bois, 33,5 × 44,5 cm

Nu à l'angelot, 1937
Huile sur papier marouflé sur bois, 26 × 35,5 cm

Nu aux bras relevés, 1937
Huile sur toile, 27 × 45,5 cm

Sculpture en pierre dans le jardin
de Boissiérettes, 1937. H. 180 cm

Descente de croix, 1937
Huile sur toile, 46 × 27 cm

Crucifixion, 1937
Huile sur toile, 150 × 25 cm

Grande figure, 1937
Huile sur contreplaqué, 163 × 45 cm

Tête, 1945
Assemblage en bois et peinture blanche, H. 42 cm

L'oiseau, 1938
Assemblage, fer forgé

Le Christ de Boissiérettes, 1938
Fer forgé, bois et os, H. 85 cm

Boissiérettes, 1945
Huile sur papier marouflé sur bois, 45 × 75 cm

Le soleil, 1946
Tenture d'étoffes cousues et brodées
Musée National d'Art Moderne, Paris

Chartres, 1946
Tenture d’étoffes cousues et brodées, 175 × 313 cm
Musée d’Unterlinden, Colmar

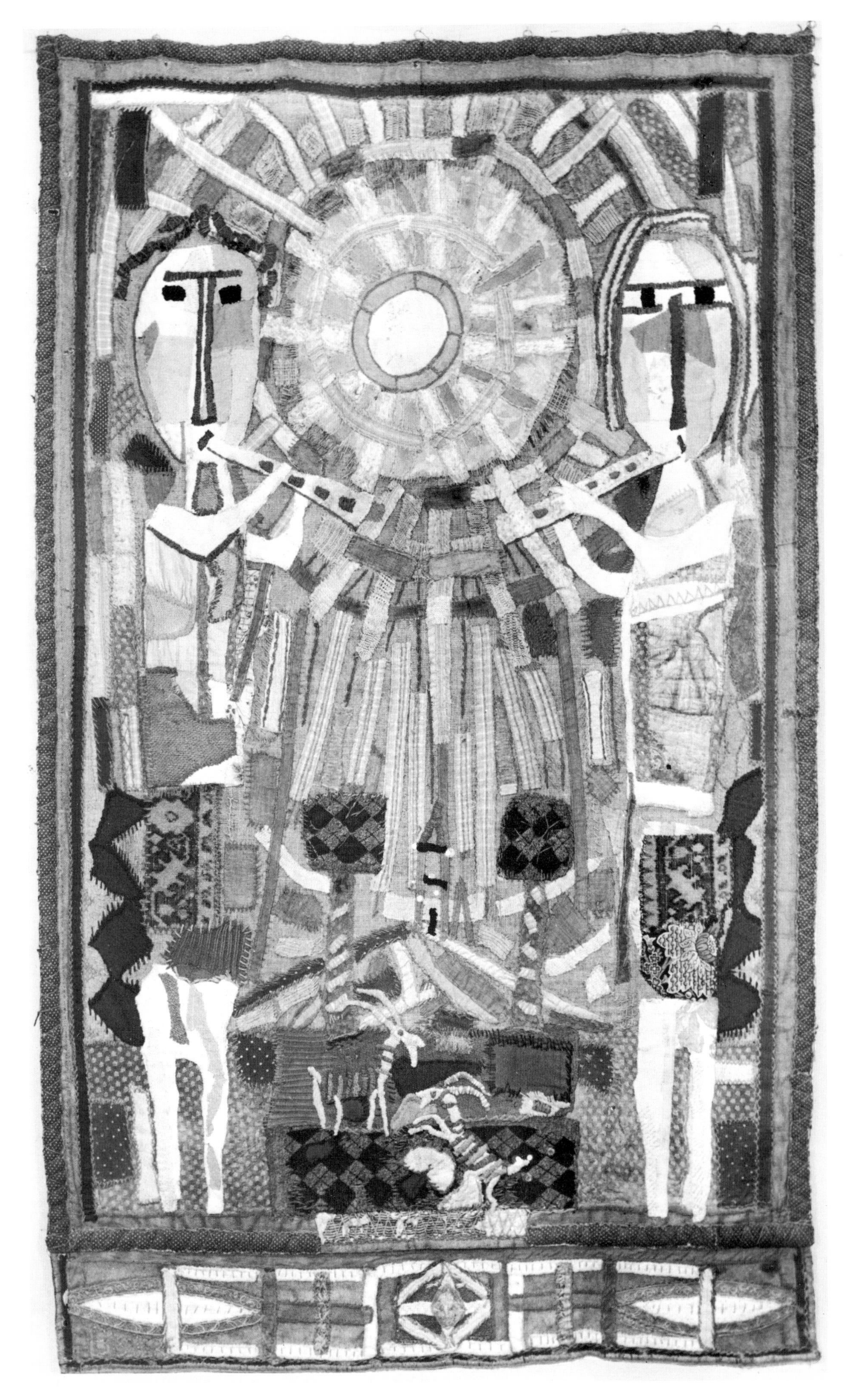

Clair de lune, 1946
Tenture d'étoffes cousues
et brodées, 221 × 132 cm
Musée des Arts Décoratifs, Paris

Le petit cheval, 1945
Tenture d'étoffes cousues et brodées, 195 × 220 cm
Mobilier National, Paris

Le chevrier, 1946
Tenture d'étoffes cousues
et brodées, 220 × 130 cm

La Vénus noire, 1945
Huile sur toile, 100 × 81 cm
Musée National
d'Art Moderne, Paris

La Vénus blanche, 1946
Huile sur toile, 110 × 76 cm

Hommage à Théocrite, 1946
Huile sur papier marouflé sur bois, 100 × 115 cm

Grande Cathédrale, 1946
Huile sur toile, 193 × 80 cm

Deux bergers, 1946
Huile sur papier marouflé
sur toile, 100 × 65 cm

Joueuse de guitare, 1946
Huile sur papier marouflé
sur bois, 130 × 50 cm

La chanson des rues, 1946
Huile sur papier marouflé sur bois

L'ange de la cathédrale, 1946
Huile sur papier marouflé sur toile,
110 × 61 cm

Oiseau et papillon, 1949
Peinture à l’œuf sur bois, 33 × 24 cm

Brun et noir, 1949
Peinture à l'œuf sur bois, 51 × 25 cm

Noir et rouge, 1949
Peinture à l'œuf sur bois, 52 × 25,5 cm

Le soleil noir, 1949
Peinture à l'œuf sur bois, 58 × 24 cm

Grande composition, 1947
Huile sur papier marouflé sur toile, 41 × 27 cm

L'île de Ré, 1950
Peinture à l'œuf sur bois, 26 × 37 cm

Jaune et gris, 1950
Peinture à l'œuf sur toile, 116 × 89 cm. Musée national d'Art Moderne, Paris

Hommage à Angelico, 1950
Peinture à l'œuf sur carton, 46 × 61 cm
Stedelijk Museum, Amsterdam

L'étoile blanche, 1950
Peinture à l'œuf sur papier marouflé
sur bois, 122 × 42 cm

Paysage à l'oiseau, 1950
Peinture à l'œuf sur bois, 21 × 58,5 cm

L'oiseau de nuit, 1950
Peinture à l'œuf sur bois, 33 × 22 cm

Paysage au totem, 1951
Peinture à l'œuf sur bois, 27 × 40,5 cm

Le chat, la maison, 1951
Peinture à l'œuf sur toile, 81 × 65 cm

Noir et vert, 1951
Peinture à l'œuf sur papier marouflé sur isorel, 110 × 50 cm
Abbaye de Beaulieu, Centre d'Art Contemporain

La Croix du Sud, 1952
Peinture à l'œuf sur papier marouflé sur toile, 132 × 50 cm
Haags Gemeentemuseum, La Haye

Bleu, 1951
Peinture à l'œuf sur papier marouflé, 125 × 45 cm
Stedelijk Museum, Amsterdam

Noir, ocre et vert, 1952
Peinture à l'œuf sur papier marouflé, 106 × 44 cm
Stedelijk Museum, Amsterdam

Jaune et vert, 1951
Peinture à l'œuf sur papier marouflé sur bois, 122 × 40 cm

Rouge et vert, 1952
Peinture à l'œuf sur toile, 130 × 97 cm

Rouge et jaune, 1952
Peinture à l'œuf sur toile, 100 × 65 cm

Vitrail, 1953
Peinture à l'œuf sur papier
marouflé sur toile, 100 × 65 cm

Rouge et gris, 1952
Peinture à l'œuf sur toile, 131 × 50 cm
Musée de Peinture et de Sculpture, Grenoble

◁ Ocre, rouge et vert, 1953
Peinture à l'œuf sur papier
marouflé sur toile, 127 × 44,5 cm

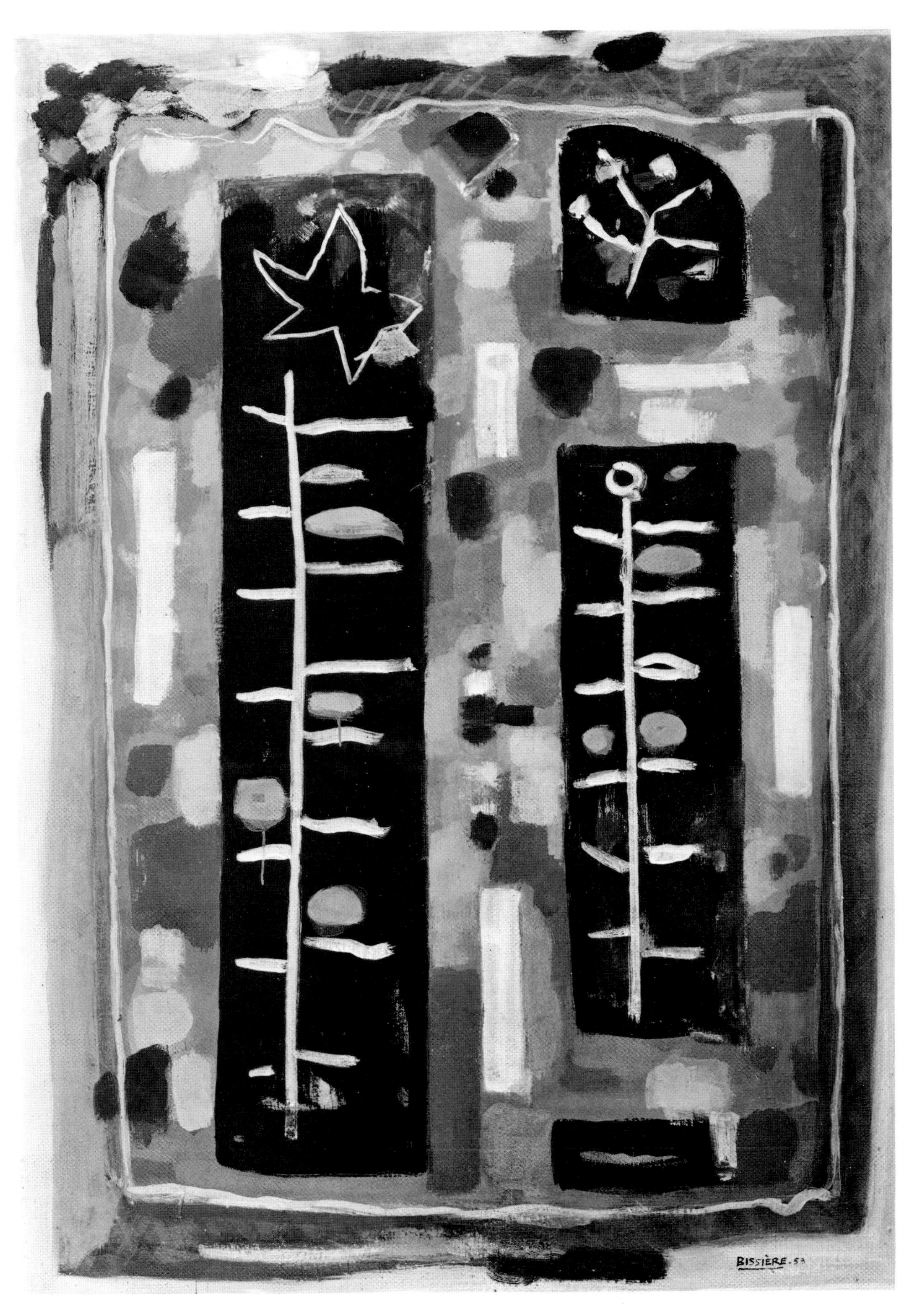

Pousses blanches, étoile, 1953
Peinture à l'œuf sur toile, 130 × 97 cm

I

Cantique à Notre Frère Soleil de François d'Assise

Onze bois gravés en couleurs de Bissière
imprimés en taille douce et tirés sur
une presse à bras par Marcel Fiorini.
Editions Jeanne Bucher, Paris 1954.
Format de l'ouvrage, 28 × 38 cm.
Tirage strictement limité à 48 exemplaires.

II

III

Loué soit mon seigneur pour notre soeur
la lune et pour les étoiles, il les a for
mées dans le ciel brillantes et belles

IV

Loué soit mon seigneur pour notre frère le
vent, pour l'air, soit nuageux, soit serein
pour tous les temps par lesquels il don
ne leur subsistance a toutes les créatures

V

Loué soit mon seigneur pour notre
soeur l'eau qui est utile humble et
chaste et precieuse.

VI

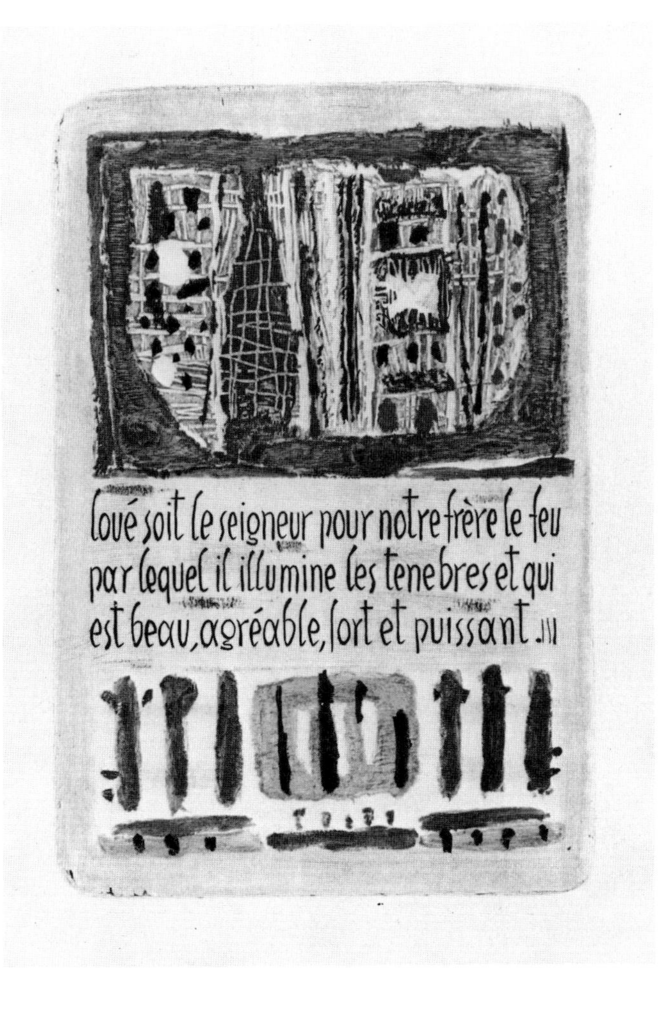
Loué soit le seigneur pour notre frère le feu
par lequel il illumine les tenebres et qui
est beau, agréable, fort et puissant.

VII

loué soit mon seigneur pour notre mère
la terre, qui nous nourrit et nous soutient,
qui produit les fruits, les fleurs diaprées
et les herbes.

VIII

loué soit mon seigneur pour notre soeur
la mort corporelle, à laquelle nul
homme vivant ne peut échapper. malheur
à qui meurt dans le péché mortel.

IX

bienheureux ceux qui se reposent dans
les très saintes volontés de notre dieu, la
seconde mort ne pourra les atteindre.

X

louez et benissez mon seigneur, rendez
lui graces et servez le avec une grande
humilité...

XI

Louez et benissez mon seigneur, rendez
lui graces et servez le avec une grande
humilité...

XI

Vert et ocre, 1954
Huile sur toile, 114 × 77 cm

Composition grise, 1954
Huile sur toile, 124 × 65 cm
Billedgalleri, Bergen

Souvenir de Ville d'Avray, 1955
Huile sur toile, 73 × 60 cm
Museum Boymans-Van Beuningen, Rotterdam

Voyage au bout de la nuit, 1955
Huile sur toile, 77 × 114 cm

Equinoxe d'été, 1955
Huile sur toile, 130 × 162 cm
Musée National d'Art Moderne, Paris

Paysage mexicain, 1955
Huile sur toile, 50 × 130 cm

Composition 257, 1956
Huile sur bois, 39 × 64 cm

La forêt, 1955
Huile sur toile, 130 × 162 cm
Musée National d'Art Moderne, Paris

Composition, 1956
Huile sur toile, 66 × 50 cm

Paysage égyptien, 1956
Huile sur toile, 73 × 100 cm
Kunsthaus Zurich

Composition 321, 1956
Huile sur toile, 77 × 113 cm
Kunsthalle, Hambourg

La fête à Neuilly, 1956
Huile sur toile, 97 × 130 cm

Gris et violet, 1957 ▷
Huile sur toile, 92 × 73 cm
Staatmuseum, Luxembourg

Composition, 1957
Huile sur toile, 50 × 65 cm

Equinoxe d'hiver, 1957
Huile sur toile, 130 × 162 cm

Composition rouge, 1957
Huile sur toile, 81 × 100 cm

Les quatre saisons XV, 1957
Huile sur papier, 30 × 39 cm

Paysage, 1958
Huile sur toile, 38 × 55 cm

Emergence du printemps, 1958
Huile sur toile, 81 × 100 cm

Montignac, 1959
Huile sur toile, 81 × 100 cm

Paysage gris, 1959
Huile sur toile, 24 × 41 cm

Ocre et bleu, 1959
Huile sur toile, 33 × 46 cm

Un nuage de soleil, 1960
Huile sur toile, 89 × 116 cm
Museum Boymans-van Beuningen, Rotterdam

Lumière du matin, 1960
Huile sur toile, 100 × 81 cm

Prairial, 1961
Huile sur toile, 73 × 100 cm

Le jardin cette nuit, 1961
Huile sur toile, 116 × 89 cm

L'orage est passé, 1960
Huile sur toile, 81 × 100 cm

Soleil levant, 1960
Huile sur toile, 162 × 130 cm

Brumaire, 1961
Huile sur toile, 65 × 81 cm

Fraternité du rouge et du gris, 1961
Huile sur toile, 89 × 116 cm

Cantilène de la nuit, 1961
Huile sur toile, 92 × 65 cm
Kunstmuseum, Berne

Un jour où le monde était gris, 1962
Huile sur toile, 81 × 65 cm

Pierres blanches, 1961
Huile sur toile, 73 × 92 cm

Noblesse des ruines, 1962
Huile sur toile, 65 × 50 cm

Agonie des feuilles, 1962
Huile sur toile, 113 × 76 cm

JOURNAL EN IMAGES

6 mai 1962
Huile sur bois, 27 × 35 cm

4 août 1962
Huile sur bois, 41,5 × 20 cm

10 novembre 1962
Huile sur bois, 21,5 × 29,5 cm

22 décembre 1962
Huile sur bois, 29,5 × 42 cm

25 décembre 1962
Huile sur bois, 29,5 × 20 cm

29 décembre 1962
Huile sur bois, 26,5 × 22,5 cm

30 décembre 1962
Huile sur bois, 25,5 × 23 cm

3 janvier 1963
Huile sur bois, 28 × 23 cm

15 janvier 1963
Huile sur bois, 37 × 30 cm

2 février 1963
Huile sur bois, 35 × 27 cm

7 mars 1963
Huile sur bois, 42 × 27 cm

7 mai 1963
Huile sur bois, 30 × 25 cm

14 mai 1963
Huile sur bois, 38 × 25,5 cm

16 mai 1963
Huile sur bois, 45 × 27 cm

22 mai 1963
Huile sur bois, 22,5 × 35,5 cm

8 juin 1963
Huile sur bois, 41 × 27 cm

15 juin 1963
Huile sur bois, 26,7 × 26,8 cm

27 juillet 1963
Huile sur bois, 30 × 37 cm

30 juillet 1963
Huile sur bois, 30 × 39,5 cm

15 août 1963
Huile sur bois, 35 × 27 cm

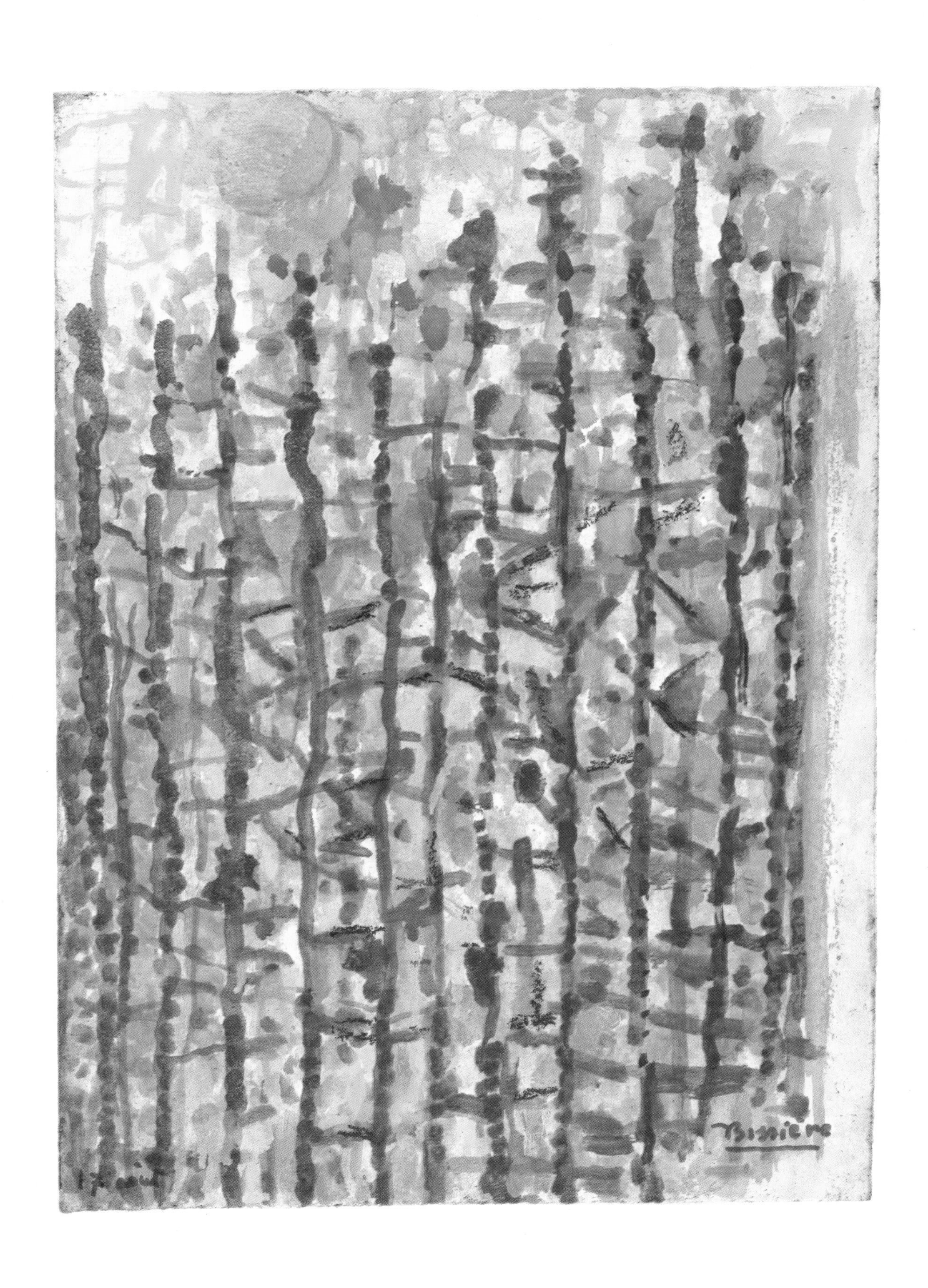

17 août 1963
Huile sur bois, 35 × 27 cm

19 août 1963
Huile sur bois, 27 × 36,5 cm

22 août 1963
Huile sur bois, 32 × 22 cm

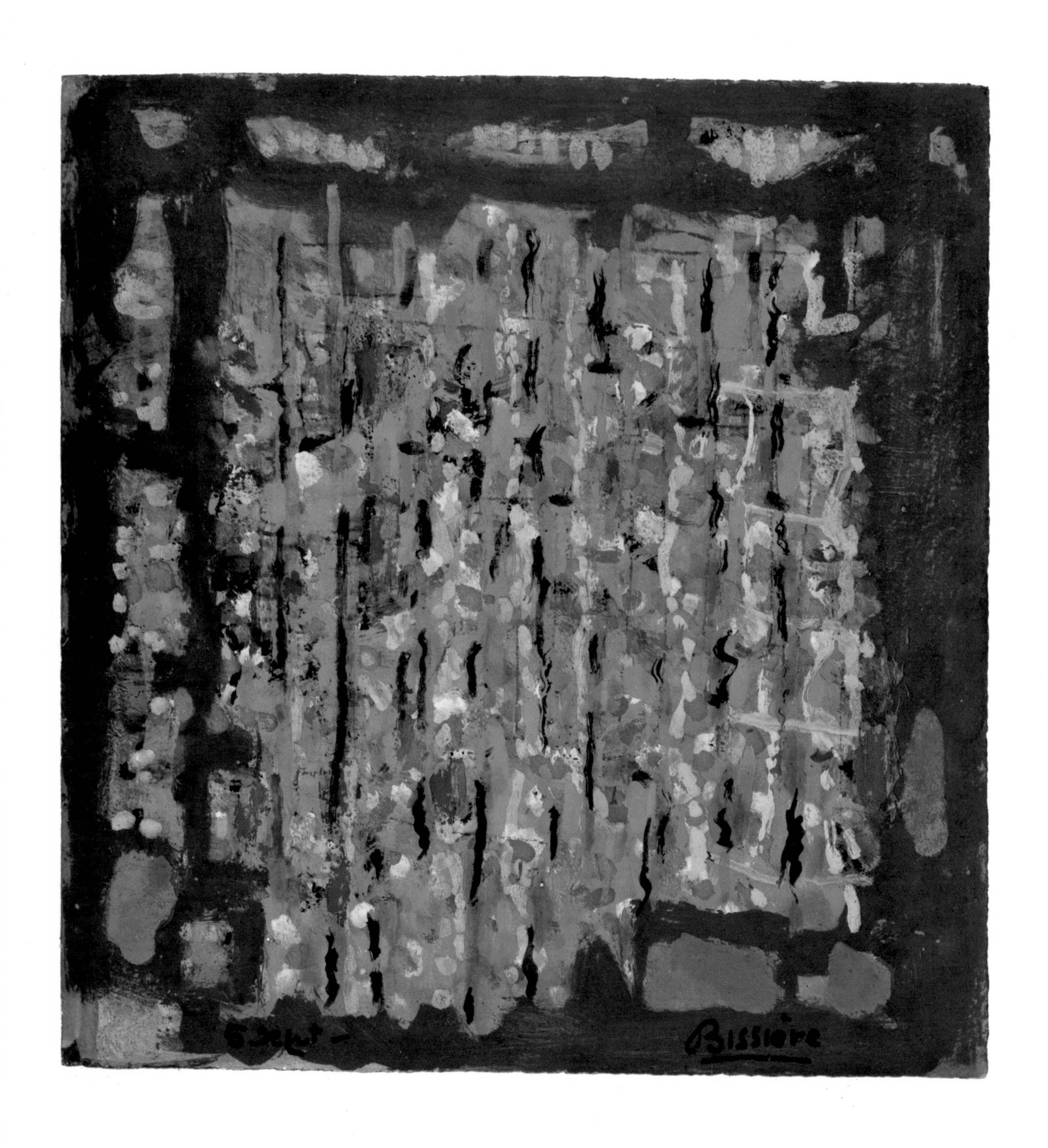

5 septembre 1963
Huile sur bois, 28 × 26 cm

4 octobre 1963
Huile sur bois, 22 × 31 cm

30 octobre 1963
Huile sur bois, 35 × 27 cm

8 novembre 1963
Huile sur bois, 37 × 22 cm

12 novembre 1963
Huile sur bois, 28 × 23 cm

23 novembre 1963
Huile sur bois, 35 × 24 cm

27 janvier 1964
Huile sur bois, 35 × 27 cm

4 février 1964
Huile sur bois, 37 × 24 cm

19 février 1964
Huile sur bois, 32 × 22 cm

1er mars 1964
Huile sur bois, 32 × 25 cm

9 mars 1964
Huile sur bois, 37 × 30 cm

La veille du printemps, 1964
Huile sur toile, 100 × 73 cm

Ocre et rose, 1963
Huile sur toile, 65 × 92 cm

Le silence de l'aube, 1964. Huile sur toile, 92 × 73 cm

Silence du crépuscule, 1964. Huile sur toile, 100 × 81 cm

Matin d'hiver, 1964
Huile sur toile, 65 × 54 cm

Silence de la nuit, 1964
Huile sur toile, 92 × 73 cm

Bissière, 1964
photo Lewino

Biographie

Plus soucieux de son œuvre que de la mémoire de celle-ci, Bissière a largement pratiqué l'à-peu près lorsqu'il s'est agi de fournir les dates des événements tant de sa vie privée que de son activité de peintre.
La chronologie qui suit est un premier essai de datation précise et ne saurait prétendre, dans l'état actuel des recherches à être exhaustive. Elle est bien évidemment redevable aux travaux qui l'ont précédée et dont elle s'est efforcée toutefois de corriger certaines erreurs. Elle doit nombre de ses précisions à l'amical et généreux concours de Louttre et de Jean-François Jaeger qui m'ont donné accès à leurs archives et à leurs correspondances personnelles grâce auxquelles il a été possible d'approcher plus exactement la réalité quotidienne de la vie et de l'œuvre de Bissière.

D. A.

1886

22 septembre
Naissance à Villeréal dans le département du Lot et Garonne de Jean Edouard Roger Bissière, fils de Fernand Etienne Bissière, âgé de trente trois ans et de Elisabeth Luce Chastaignol, âgée de vingt huit ans. Son père, comme son grand-père et son arrière grand-père, exercent dans cette ville, la profession de notaire. L'enfant voit le jour dans la maison de famille où se passent ses premières années.

1898-1901

C'est au Lycée de Cahors qu'il entreprend des études classiques, apprenant grec et latin, et se montrant dans l'ensemble bon élève. Parmi les prix et accessits qui lui sont décernés, un premier prix de dessin d'imitation en 1899, un deuxième accessit dans la même matière en 1900, suivi d'un deuxième prix en 1901 témoignent d'un don précoce qui ne l'empêche pourtant pas de se montrer plus brillant en langue française où pour les mêmes années, il obtient successivement deux premiers prix et un premier accessit.

1901

Son père vend l'étude familiale de Villeréal et s'installe avec sa famille à Bordeaux où il devient huissier auprès de la Banque de France.

Bissière quitte le Lycée de Cahors pour poursuivre ses études au Lycée Montaigne de Bordeaux.

1902

Sa mère meurt le 28 avril. Bissière, déjà isolé de sa famille par les années d'internat à Cahors, ne trouve guère auprès de son père l'écoute sensible qu'il en attendait. C'est sa tante, Madame de Saint-Christophe, qui lui prodiguera l'attention qu'il recherche.

1904

Bissière passe la première partie de son baccalauréat (série A).

1905

Malgré l'opposition de son père qui souhaite lui voir faire des études juridiques pour reprendre une charge de notaire et s'oppose à le voir poursuivre une carrière artistique, Bissière s'embarque secrètement de Bordeaux pour Alger où il exerce des métiers de fortune, déchargeant les caisses de primeurs dans les paquebots, faisant le compte des bennes de charbon déversées dans les bateaux du port (la poussière de charbon le brûlera d'ailleurs gravement).
Le 10 mai, il écrit à sa tante avec laquelle il maintient, malgré la brusque rupture, un contact épistolier: «il est un point sur lequel je ne varierai pas, je veux tout de suite faire de la peinture, travailler pour mon véritable avenir».
En dehors des petits métiers qui lui permettent de subsister, il travaille son dessin avec le peintre orientaliste Rochegrosse «qui est à Alger durant presque tout l'hiver et s'est beaucoup occupé de moi, écrit-il à sa tante. Mon coloris l'avait séduit, mais il ne m'a pas flatté; il m'a simplement encouragé à travailler et surtout à dessiner. Il m'a dit de continuer et m'a promis le succès, mais non pas sans travail, car le dessin ne s'apprend pas en un jour mais en dix ans, je préfère ce qu'il m'a dit et la façon dont il me parlait qui montrait que réellement il avait beaucoup d'intérêt pour moi, à des éloges que je suis trop jeune et trop inexpérimenté dans la technique de mon art pour mériter et que par suite, je n'aurais pas cru. Je ne dessinais pas chez lui mais à l'Ecole des Beaux-Arts d'Alger. Seulement comme il faut être présenté par une personne qui soit notre père, mère ou tuteur, je m'étais fait inscrire sous le nom d'un de mes amis majeurs qui s'était présenté comme étant mon frère aîné et qui étant très connu à Alger a aplani les difficultés. D'ailleurs ce qui me prouve que j'ai quelque chose, c'est que au concours de fin d'année je me suis trouvé classé second de l'Ecole des Beaux-Arts d'Alger sur 9 élèves. Or les autres avaient tous de 20 à 25 ans au minimum et dessinaient et peignaient depuis 2 ou 3 ans. Le Directeur de l'école lui-même ne voulait pas croire que je n'avais jamais été dans une école». Cependant, malgré cette vie nouvelle, il reconnait qu'il «ne désire qu'une chose: rentrer».
Grâce à l'intervention de sa tante auprès de son père, il rentre (en passant vraisemblablement par Fez et Tanger) à Bordeaux à la fin août et s'inscrit à l'Ecole des Beaux-Arts.

La maison de Boissiérettes

1905-1909

Compte tenu de ses aptitudes en dessin, il entre directement dans la classe supérieure, celle de Paul François Quinsac, élève de Gérome «C'était, en dira-t-il plus tard, un professeur qui très gentil, n'apprenait rien.»

Parmi les autres étudiants, il se lie particulièrement avec Jean Raymond Guasco avec lequel il voyage en Corse, en Italie et en Angleterre et qu'il se plaît à faire passer pour son cousin. Dès cette époque, il signe certaines de ses œuvres Roger Bis, pseudonyme qu'il utilisera ultérieurement pour des dessins humoristiques.

1907

Il est exempté de service militaire par le conseil de révision du Lot et Garonne pour faiblesse de constitution.

1909

Dans un cahier, il note: «l'art prend pour moi une portée de plus en plus haute à mesure que je comprends mieux, et tous les jours c'est une joie nouvelle de découvrir un peu plus de beauté dans le monde».

23 octobre
A l'automne, il arrive à Paris et s'inscrit à l'Ecole nationale des Beaux-Arts dans l'atelier de Gabriel Ferrier, peintre académique dont l'enseignement ne remettait en rien en question ce qu'il avait appris à Bordeaux.

1910

Il demeure 35 rue de Seine.

Il participe pour la première fois à une exposition en présentant au Salon des Artistes français, le *Portrait de Guasco*.
A la fin de l'année il tombe assez gravement malade.

1911

Il expose à nouveau un *Portrait* au Salon des Artistes français.

Il s'installe rue des Quatre Vents.

1912

Il s'installe à la Villa d'Alésia, 111ter rue d'Alésia, où il demeure jusqu'en 1923.

décembre
Bissière entreprend une participation régulière au journal *l'Opinion* où son ami Guasco est rédacteur. Il y aborde les sujets les plus divers – faits de société, échos de la guerre, mais aussi comptes-rendus d'expositions qui prendront une place prédominante dans les textes qu'il donne au journal jusqu'en 1919.

1913

8 mars
Il se fait établir une carte pour travailler au Louvre les jours d'étude.

10 décembre
Il illustre de deux dessins signés «Bis» une chronique sportive de son ami Guasco dans *Tout-Paris magazine*. Il réalise des dessins pour un catalogue de luxe des automobiles Renault.

1914

1er mars
Il expose *Daphnis et Chloé* au Salon des Indépendants auquel

Bissière en Italie, avant 1914

A Boissiérettes, vers 1920. Bissière et Mousse, le facteur et Néomie, les chiens Footit et Nounour

participe également son ami René Baron. Tous deux sont domiciliés 10 Villa d'Alésia à Paris.

juin
Lassé du journalisme, «rassasié, selon René Baron, d'un métier qui (l') ennuie», Bissière entreprend un élevage d'abeilles à Boissiérettes, la propriété dont il a hérité de sa mère, et y installe 100 ruches. Il confie à René Baron la gestion de l'entreprise (qui durera un an). C'est la première des tentatives de Bissière pour «vivre à la campagne et y gagner (s)a vie». C'est ainsi qu'il écrit de Paris à sa tante: «Décidément, je ne suis point fait pour habiter les villes, surtout celle-ci, plus terrible et impitoyable encore que les autres, je ne suis pas adapté aux conditions de la vie moderne et à toutes les réalités brutales dont elle est nourrie. Je pense trop souvent aux campagnes lointaines, que j'aime et où la vie me serait douce. Là seulement je pourrais travailler et me réaliser pleinement».
Comme toutes les tentatives de ce genre qu'il entreprendra à différentes périodes de sa vie, celle-ci se solde par un total échec financier.

août
Maintenu exempté, malgré sa demande d'incorporation lors de la déclaration de guerre, Bissière trouve à s'engager d'abord comme chauffeur ambulancier, puis comme agent de liaison. Pourtant, ainsi qu'il l'écrit à sa tante: «La guerre aura été courte pour moi. J'ai dû revenir bêtement blessé non par les balles, mais par un accident d'automobile. J'avais laché la Croix-Rouge pour porter des ordres en auto entre Vitry-le-François, Reims, Chalons, Saint-Quentin et La Fère. C'était plus dangereux mais plus amusant. Il fallait faire du 85 de moyenne, c'est-à-dire du 100 de temps à autre... Tout a bien marché jusqu'au jour où je me suis retrouvé dans un champ de betteraves avec ma voiture en morceaux. Ce qui m'est arrivé, je n'ai pas encore réussi à me l'expliquer». Souffrant de contusions multiples mais bénignes, il est évacué à Bordeaux.

décembre
Bissière se fait établir un passeport pour se rendre en Angleterre. A cette date, il est domicilié 16 rue Maudron, à Bordeaux.

1918

Bissière réalise ses premières peintures marquées par l'esthétique cubiste comme la *Nature morte à la bouteille.*

1919

23 janvier
Il épouse à la Mairie du XIVe arrondissement à Paris, Catherine Lucie Lotte qu'il appelle Mousse.

1er novembre
Bissière rentre à Paris. Il expose une peinture au Salon d'Automne: *Jeune fille en gris.*

1920

janvier
Bissière expose chez Berthe Weill aux côtés de Galanis, Gernez, Lhote, Lotiron et Utter. Il y fait sa première vente.

28 janvier
Il expose deux œuvres *La Chasse aux lions* et *The Flag of all nations* au Salon des Indépendants.

17 juin
Il participe à la 2e exposition de «La Jeune peinture française» à la Galerie Manti-Joyant.

15 octobre
Bissière présente quatre œuvres au Salon d'Automne, dont *Le Concert champêtre.* Waldemar George remarque son envoi pour «ses qualités de construction». A Pierre Gault, il écrit: «Pour moi, malgré quelques erreurs et beaucoup de défauts, que j'ai vus mais que le temps et peut-être aussi le défaut de savoir m'ont empêché de corriger, je crois avoir fait un assez grand pas, du moins dans le sens de la liberté technique. Mais je crois que les toiles que je viens de faire actuellement et que vous verrez à mon retour sont plus complètes et plus profondément abouties. Elles sont moins isolées, font beaucoup plus corps avec le fond, en un mot font moins silhouette, sont plus lourdes et plus profondément réelles. De ce qui est à l'Automne, il me semble que c'est le pêcheur à la ligne qui est le plus complet et le plus travaillé en profondeur (...) En tous cas, d'après ce que m'écrit Lhote, mes toiles tiennent bien leur place dans la salle où elles sont et ne perdent rien auprès des autres. C'est déjà beaucoup».

Bissière écrit, à la demande de Léonce Rosenberg qui la publie aux *Editions de l'Effort moderne,* la première monographie sur Braque. «N'étant point critique d'art», c'est en peintre que Bissière souligne l'apport de Braque. Plus qu'à l'invention plastique des œuvres cubistes, c'est à l'aspect *moral* de son travail qu'il s'attache: «Braque a entrevu peut-être le premier entre les modernes la poésie qui se dégage du beau métier, d'une œuvre faite avec amour et patience, sans qu'intervienne une sensibilité préconçue. Il a compris qu'un ouvrage humain longuement caressé, finit par porter la trace des soins qui ont entouré sa naissance et par dégager je ne sais quelle humanité émouvante».

15 octobre
Bissière participe au premier numéro de la revue *L'Esprit*

Bissière et Mousse, 1921

nouveau avec des «Notes sur l'art de Seurat». Il y publiera des études sur Ingres (nº 4) et Corot (nº 9).

novembre
A la demande de Pierre Gaut, Bissière rédige pour la Société Linel que dirige celui-ci un prospectus sur les couleurs à la détrempe, vantant les mérites de la peinture à l'œuf (dont lui même fera usage près de trente ans plus tard).

25 novembre
Bissière expose, avec André Lhote, à la Galerie Povolozky. Il y présente neuf peintures et six dessins.

1921

23 janvier
Il expose trois œuvres au Salon des Indépendants dont *l'Enlèvement d'Europe*.

Il entre en contrat avec la Galerie Paul Rosenberg.

avril-mai
Exposition personnelle de vingt peintures à la Galerie Paul Rosenberg.

1er novembre
Il expose trois œuvres au Salon d'Automne.

La voiture de Bissière, 1923. Bissière, Mousse et Lewino

novembre
Bissière écrit à Elie Faure, connu précédemment: «Il me semble que maintenant ma peinture commence à être plus consciente de son but et un peu plus sûre de ses moyens.»

L'atelier de la Villa d'Alésia, vers 1923

Bissière avec Braque à Varengeville, vers 1925

14 décembre
Naissance de son premier fils, Jean Dominique, qui décèdera à l'âge de deux semaines, le 29 décembre.

1922

28 janvier
Bissière présente deux œuvres au Salon des Indépendants.

été
Les nécessités de son contrat avec Paul Rosenberg l'amènent à peindre un grand nombre de toiles: «J'ai beaucoup travaillé cet été, écrit-il à Pierre Gaut. Les résultats ne sont pas ceux que j'aurais voulu.»

1er novembre
Il expose deux toiles au Salon d'Automne.

1923

10 février
Il expose trois *Peintures* au Salon des Indépendants.

Il rompt son contrat avec Paul Rosenberg et entre à la galerie Druet.

juin
Il participe à un groupe, avec Dufy, Lhote, Gernez, ..., à la Galerie Berthe Weill.

1er novembre
Il présente deux toiles au Salon d'Automne auquel il cesse d'exposer jusqu'après la Libération.

15 novembre
Deux peintures de Bissière sont présentées au Premier Salon de la Folle enchère organisé par la Société des Amateurs d'art et des Collectionneurs.

17 décembre
Il participe au 4e groupe à la Galerie Druet.

1924

Bissière acquiert un terrain au 41 Square Montsouris et s'y fait bâtir une maison selon les plans qu'il a lui-même dessinés.

Il participe avec deux œuvres au Salon des Tuileries.

Bissière et Louttre, 1927

10 mars
Exposition personnelle (jusqu'au 21 mars) à la Galerie Druet.

29 décembre
Il participe à un groupe à la Galerie Druet.

1925

28 mai
La Sieste, de la collection Charles Pacquement, est présentée à l'exposition «Cinquante ans de peinture française» au Musée des Arts décoratifs.

20 juin
Il passe l'été à Boissiérettes.

Il devient professeur à l'Académie Ranson où il enseignera jusqu'en 1938.

2 au 13 novembre
Il participe à l'exposition du 4e groupe à la Galerie Druet.

14 décembre
Une exposition de groupe à la Galerie Druet présente ses œuvres récentes.

Bissière, vers 1928

1926

12 mars
Cinq toiles de Bissière sont prêtées par cinq collectionneurs à l'exposition des œuvres appartenant à la Société des Amateurs

d'art et des Collectionneurs à la Galerie Granoff.

6 au 16 avril
Il participe à un groupe à la Galerie Druet.

14 juin-3 juillet
Exposition personnelle à la Galerie Druet.

15 juillet
Naissance de son fils Marc-Antoine, familièrement surnommé Louttre.

été
Il passe à Paris la plus grande partie de l'été dans l'attente de travaux sur la carrosserie de sa voiture et part fin août à Boissiérettes.

1927

21 janvier
Il expose une *Nature morte* et une *Peinture* au Salon des Indépendants. Les prix respectifs en sont 8000 F et 4000 F. C'est sa dernière participation à ce salon.

Sa peinture se transforme, privilégiant la juxtaposition de touches colorées, et annonçant ce qui fera plus tard la spécificité de sa peinture. Devant les tableaux de cette époque présentés lors de la rétrospective au Musée national d'art moderne, en 1959, Jean Guichard-Meili souligne, dans *Esprit,* «l'aspect très *jeune peinture 1940* de ces toiles de 1927: dessin caractéristique en grille sur laquelle scintille la touche, au mœlleux sensuel, d'un bord à l'autre de la surface, sans un trou – la lumière et l'air, réapparus, inondent la composition entière. Il y avait là, tant d'audace clandestine que Bissière, peut être effrayé ou surpris lui-même, ne persévera pas alors dans cette direction. Le courant, devenu souterrain, devait revenir au jour en multiples résurgences à la libération».

Il présente deux œuvres au Salon des Tuileries.

25 juin
Invité par Jean Léon, il participe à une exposition de groupe à la galerie Le Portique.

4 décembre
Deux œuvres de Bissière *Figure dans un paysage* et *Baigneuses et guitares* sont exposées au 4e Salon de la Folle enchère.

26 décembre
Il participe à une exposition de groupe à la Galerie Druet.

1928

1er avril
Bissière rompt son contrat avec la Galerie Druet. Il en établit un avec un collectionneur privé suisse, M. Levy, de Bâle qui acquiert un nombre important de ses œuvres.

Il expose deux toiles au Salon des Tuileries auquel il ne participera plus par la suite.

Il passe l'été à Boissiérettes et rentre à Paris à la mi-novembre, «retardé par la plantation de (s)on jardin».

1929

15 février
Une œuvre, *Femme assise,* est présentée au 5e Salon de la Folle enchère.

été
Il passe l'été à Boissiérettes.

fin octobre
Il vient seul huit jours à Paris et retourne à Villeréal jusqu'au 21 novembre, date de son départ pour Paris.

24 novembre
Première correction à l'Académie Ranson.

30 novembre
M. Levy cède une partie de la production de Bissière à la Galerie Philipps de Londres et lui refait un contrat jusqu'à fin mars 1935.
A la fin de l'année, visite de M. Levy qui dans le cadre de leur arrangement prend 16 tableaux.

1930

11 janvier
Bissière remplace La Patellière à l'Académie Ranson.

22 février
Bissière participe au 6e Salon de la Folle enchère avec deux œuvres (l'une antérieure à 1914, l'autre récente, selon le principe de cette exposition).

22 avril
Il expose aux Nouveaux Indépendants.

10 mai
Il donne à M. Levy 22 tableaux pour remplir les obligations de son contrat.

L'atelier de Boissiérettes en 1933

15 mai
Il arrive à Villeréal et se rend fin mai à Boissiérettes.

30 mai
Il expose deux peintures au Salon d'art français indépendant à Montparnasse.

mi-juin
Bissière envoie 2 tableaux *(Femme à la guitare* et *Nature morte)* pour une exposition à Tokyo.

été
Il réalise des travaux d'aménagement à Boissiérettes.

6 octobre
La crise économique se fait sentir. Bissière écrit à son ami Blaise Jeanneret: «Quant aux affaires, elles vont mal, et j'ai autant que vous l'inquiétude de l'avenir».

30 octobre
Retour à Paris.

début novembre
Il participe à l'exposition du 4e groupe à la Galerie Druet.

décembre
Il donne 16 toiles à M. Levy pour la Galerie Philipps.

Bissière avec un de ses cerf-volants, 1936

1931

mars
Il expose à Londres à la Leicester Gallery.

été
Il réalise avec Jean Léon un paravent pour le restaurant Prunier.

A Boissiérettes, il construit les arcades devant le jardin.

1932

début mai
Il quitte Paris pour Boissiérettes où il passe l'été et l'hiver. Il y entreprend culture et élevage, afin d'assurer sa subsistance, ralentit son activité de peintre. A son ami Blaise Jeanneret, il écrit (le 25 juin): «Je suis maintenant à peu près installé. J'ai reçu mes vingt-huit colis, mes chèvres, mes lapins, mes pigeons et tout le bazar. J'ai commencé à bêcher mon jardin, à planter et à semer (...) La vie ainsi conçue ne manque d'ailleurs pas complètement d'agréments et a même une certaine douceur. Malgré tout je ne pense pas au passé sans une certaine mélancolie et peut-être une nuance de tristesse. J'évite le plus possible d'entrer dans l'atelier pour n'y pas retrouver des fantômes et des tentations qu'il vaut mieux laisser dormir pour le moment».
A la fin de l'été toutefois, il recommence à peindre, travaillant à de grandes toiles. Pendant cette période, il loue son atelier parisien au peintre Nicolas Wacker, se garantissant ainsi une ressource financière qui supplée à la mévente de ses peintures.

décembre
La Galerie Druet expose de petites peintures de Bissière dans une exposition de groupe.

1933

Il passe le printemps et l'été à Boissiérettes.

19 juin
Il écrit à Blaise Jeanneret: «J'ai travaillé ici par périodes irrégulières, selon des alternatives de découragement et d'énergie. Malgré tout j'ai fait un certain nombre de toiles de grandes dimensions. Que valent-elles, je ne sais? Je verrai cela quand je les retrouverai dans une autre atmosphère avec plus de recul (...) J'ai continué à m'écarter résolument de toute représentation, de toute allusion à un objet défini. Mais une telle peinture à l'heure actuelle est-elle susceptible d'intéresser quelqu'un? (...) Et puis n'est-ce pas trop une peinture pour peintres, n'oublie-t-on pas un peu les rapports humains qu'il est nécessaire peut-être de laisser subsister si on veut parler à des hommes un langage capable de les émouvoir? Problème qui me tourmente souvent et que j'ai l'esprit trop en désarroi pour résoudre actuellement».

A Pierre Gault, il écrit: «Je travaille de façon à avoir quelques grandes toiles devant moi en cas de besoin, cas bien improbable d'ailleurs. Mes journées se passent devant mon chevalet, toujours pareilles. Je me débats avec ma peinture, avec des alternatives de succès relatifs et d'échecs».

La crise économique se fait d'autant plus sentir que Nicolas Wacker est obligé de renoncer à louer l'atelier parisien de Bissière. Celui-ci envisage, parallèlement à ses cours à l'Académie Ranson, de revenir au journalisme, car il ne «voudrait pas abandonner complètement la peinture» pendant l'hiver parisien où il s'installe chez son ami Pierre Gault.

Les fresques de Boissiérettes, 1937

décembre
Tombé malade, il entre en maison de santé et y reste jusqu'à la fin janvier.

1934

février
Il se soigne à Amélie-les-Bains.

1er mars
Bissière rentre à Villeréal où il passe tout l'été. Il y fait ses premières sculptures: 3 grandes statues et sept clés de voûte pour le couloir de Boissiérettes.

6 octobre
Il part pour Bordeaux puis pour Paris où il arrive le 10 octobre.

12 octobre-décembre
Il s'installe chez Lewino, puis à partir du 10 décembre chez Latapie.

20 décembre
Il expose à la Galerie de Paris où il vend 2 dessins.

22 décembre
Bissière part pour Villeréal avec Latapie.

1935

Don de la *Nature morte au violoncelle* au Musée national d'art moderne par Charles Pacquement.

7 janvier
Retour à Paris avec Mousse et Louttre.

8 janvier
Il retourne à l'Académie.

25 mai-13 juin
Il expose dans la Salle d'exposition de l'Académie Ranson un ensemble de peintures, parallèlement à des sculptures d'Etienne-Martin. Le compte-rendu de cette manifestation dans *Arts* est très positif: «Voilà de la vraie, de la profonde et de la riche peinture. Nulle évolution n'a été plus sincère, plus agissante et peut-être plus tourmentée que celle de Bissière. Mais il en sort. Il est presque au bout. Il donne ce sentiment de connaître absolument, intégralement, toutes les ressources de son art.»

Mousse à Boissiérettes, vers 1937

1936

été
Bissière réalise à Boissiérettes une série de sculptures monumentales en taille directe.

1937

Dans le cadre de la préparation de l'exposition internationale de Paris, Bissière, pour le compte de l'architecte Felix Aublet, titulaire du marché des travaux de décoration des Palais des Chemins de fer et de l'aéronautique, devient chef d'équipe. Il rassemble autour de lui amis et élèves de l'Académie Ranson tels que Le Moal, Liausu, Bertholle, Jean Léon, Blaise Jeanneret, Nicolas Wacker, Charlotte Henschel, Manessier...
Il réalise pour son compte une toile allégorique encadrant la porte du Salon d'honneur du Ministère de la Marine marchande.

juin-octobre
Il participe avec cinq œuvres à l'exposition «Les maîtres de l'art indépendant, 1895-1937» au Petit-Palais.

1938

juillet
L'Etat achète la *Figure debout* (1937).

1939

Les Musées nationaux achètent trois peintures de Bissière dont *Le Déjeuner sur l'herbe*.

1er mai
Décès du père de Bissière.

A Paris jusqu'au 15 juillet.

octobre
Il écrit à son ami Pierre Gault: «Je suis à Boissiérettes et l'atmosphère y est aussi lourde qu'ailleurs, car on est entouré par le chagrin et les larmes de ceux qui restent. On ne peut penser sans un peu de révolte à tous ces pauvres gosses, qui s'en vont pour ne plus revenir. Pourtant tous sont courageux et acceptent la fatalité, se rendant compte que tout a été fait pour éviter cela, et que la vie ne valait plus la peine d'être vécue si on devait la vivre sous une menace perpétuelle, sans aucune sécurité possible. D'ailleurs, il n'y a rien à dire. On est écrasé par la grandeur de la catastrophe et on se remet au destin. Il sera ce qu'il voudra et rien d'autre n'existe.»

1940

décembre
Bissière achète vaches et bœufs.

1942

6 août
Inauguration à Paris du Musée national d'art moderne. Bissière voisine dans cette présentation avec La Fresnaye, Lhote, Villon, Robert Delaunay, Braque, Léger, Souverbie, Gleizes... Il est représenté par deux œuvres anciennes *La Nature morte au violoncelle* (1921) et la *Figure debout* (1937). De cette dernière, il écrit à Pierre Gault, le 2 novembre 1943: «Je vois que vous n'avez pas aimé la grande figure noire et rouge que j'ai au Palais de Tokyo, pour moi elle me semble pourtant très supérieure aux autres tableaux de moi qui y figurent, en tout cas elle correspond beaucoup plus à ce que j'aurais voulu réaliser».

1943

printemps
Bissière entreprend la réfection de Boissiérettes.

28 octobre
Manessier propose à Bissière de participer à la Galerie de France à une exposition avec Le Moal, Singier, Berçot et lui-même. «Ce serait en somme, un peu comme une rentrée», lui écrit-il.

2 novembre
Bissière écrit à Pierre Gault: «Je me suis, après une longue période d'inaction, remis à peindre, j'avais trop de choses sur le cœur qui m'étouffaient, je ne sais si les réalisations sont bien ou mal, mais tout ce que j'ai fait ces derniers temps, était depuis de longs jours trop comprimé en moi. Il fallait que cela sorte».

21 novembre
Gaston Diehl lui demande un texte pour *Confluences* publié à Lyon sur la Grandeur du mur, sur le conseil de Manessier et Le Moal: «Vous seul êtes capable en France de parler comme il convient de ce que le mur représente esthétiquement et moralement parlant dans l'art. Tous ceux qui vous ont écouté à l'Académie Ranson ont compris la signification et l'importance de l'art monumental, le sens de ce que l'on peut appeler vraiment la peinture murale. Cette leçon de grandeur et de compréhension que vous avez su transmettre à quelques-uns, essayez de la redonner en ces quelques pages.»

28 novembre
Il répond à Gaston Diehl au sujet de la peinture murale. Cette lettre contient les arguments qui seront développés en 1945 dans le numéro de *Confluences* sur «les problèmes de la peinture» sous le titre *Défense d'afficher*.

Boissiérettes, l'ancien atelier au printemps 1945

La chambre de Bissière. Au mur, la *grande composition*. Le bahut peint par Bissière

hiver
Bissière réalise en une quinzaine de jours une série de pastels.

1944

11 février

La Galerie de France présente un groupe composé de Bertholle, Bissière, Antoine Bissière (Louttre), Le Moal, Manessier, Singier et Etienne-Martin. Bissière y présente *la Palette* et *l'Atelier du peintre*. Dans sa préface, Gaston Diehl, après avoir rappelé les liens que l'Académie Ranson a tissés entre la plupart des participants, note: «Entre les Toiles une autre relation subsiste, plus ténue, plus secrète, déjà fondue dans la personnalité des apports respectifs, c'est celle qui est née de Bissière. Bissière aujourd'hui présent, ayant malgré son éloignement, tenu par l'envoi de quelques simples pastels récents, à assister de sa constante amitié ceux qui furent autrefois ses élèves et à leur confirmer en bref la portée d'un effort toujours fidèle».

mai
Louttre quitte ses parents pour prendre le maquis, puis est incorporé. Son absence pèse lourdement sur Boissiérettes, car comme Bissière l'écrit à Pierre Gault: «Matériellement c'est lui qui faisait marcher toute la propriété». Bissière qui avec sa femme tente de faire face aux questions matérielles ne peint plus jusqu'au printemps de 1945.

août
Bissière écrit à son fils: «Pour moi j'ai une envie terrible de peindre, comme toujours, quand il y a longtemps que je n'ai pu le faire. J'ai trop de travail pour pouvoir toucher à un pinceau avant l'hiver, mais je construis des tableaux dans ma tête, je les mûris peu à peu. Il me semble que je réussirai à les faire tels que je les rêve. Je sais bien que quand je les aurai faits, ils me décevront probablement, mais peu importe, ils auront rempli ma vie et m'auront aidé à supporter la stupidité et la tristesse de la vie quotidienne».

1945

24 mars
Il écrit à Louttre: «Il est assez difficile de se remettre à peindre quand on est resté longtemps sans travailler, ce n'est que peu à peu que les choses que l'on voulait faire se clarifient et se mettent en ordre. A mesure qu'on travaille une toile en amène une autre, et les idées qui au début sont confuses, se dépouillent et deviennent plus aigües et plus simples. Je remarquais, ces derniers temps dans beaucoup de mes toiles et dans quelques unes des tiennes aussi que la couleur ne joue pas le rôle qu'elle devrait jouer et qui est d'évoquer la lumière, elle est au contraire souvent descriptive et par suite inutile. Je vais essayer pour m'y remettre de faire des toiles avec une palette très réduite, juste un chaud et un froid. Rien n'est plus difficile que d'amener une tache colorée de façon à ce qu'elle paraisse indispensable et au lieu de tuer ce qui l'entoure, lui donne au contraire de la lumière et de la cohésion».

avril
Bissière entreprend de nouveaux aménagements à Boissiérettes.

26 mai
Lettre à Louttre: «Je me suis remis à peindre (...) Le résultat, je dois dire, n'a pas été fameux durant les premiers temps, mais enfin peu à peu, il me semble que ça revient (...) Enfin ça va mieux depuis deux ou trois jours, ce ne sont pas des chefs-d'œuvre mais enfin cela contient une possibilité et un espoir. Mais bon dieu ce que c'est épuisant cette lutte avec la matière et ces journées passées à travailler, avec le soir l'impression qu'on aurait mieux fait d'aller dormir. On a le sentiment qu'on ne fera jamais plus rien de bon, et qu'on ne sait plus rien faire. Je devrais pourtant avoir l'habitude depuis trente ans que je connais ces désespoirs, mais on ne s'y habitue jamais, je vois, et c'est toujours aussi décourageant».

29 mai
Le premier Salon de Mai à l'initiative de Manessier rend hommage à Bissière en présentant trois œuvres: *Femme au journal, Peinture* et *Composition.*

automne
Bissière entreprend les premières tapisseries, réalisées sous forme d'assemblage de fragments de tissus que coud sa femme.

octobre
Bissière vient à Paris et réalise, à la demande de l'architecte Félix Aublet, des peintures décoratives pour le bar du Théâtre des Champs-Elysées. Cette décoration ne sera toutefois jamais installée.

4 décembre
Il écrit à son fils: «Les tapisseries avancent à pas de géant, mais ta mère est fatiguée».

1946

20 avril
«La galerie [de France] me propose de faire une exposition. (...) Si je veux faire une exposition qui en vaille la peine, il me faut au moins une vingtaine de toiles dont une dizaine de grandes. Tout cela est assez différent de ce que tu connais. J'ai spéculé sur la couleur et tâché de rendre mon impression avec quelques taches colorées le plus intense possible. Dans chaque toile, il n'y a guère plus de 2 ou 3 couleurs dont une dominant toutes les autres, mais ces couleurs contrastent le plus possible. Cela fait des tableaux très clairs et assez gai d'aspect à cause des grandes taches colorées. Ces recherches assez nouvelles pour moi m'intéressent beaucoup et si je réussissais, devraient avoir une incontestable intensité. Mais c'est délicat, pour que ce soit

L'atelier de Boissiérettes, vers 1951

bien vraiment et que ça porte, il faut que tout cela soit dépouillé de tout élément inutile et réduit à quelques éléments indispensables, ce qui n'est pas commode. Bien entendu, comme cela ressemble assez peu aux toiles sombres que j'ai exposées au Salon de Mai, on va dire que je change encore, mais je me fous ce qu'on dira, je fais ce que j'ai envie de faire au moment où je le fais et pour le reste à la grâce de Dieu (...) La seule chose qui comptera plus tard, ce sera la poésie que dégageront ou ne dégageront pas ces toiles, de quelque façon qu'elles soient conçues, il faut toujours en revenir là et cela seul compte», écrit-il à son fils.

Bissière participe à l'exposition «Cent chefs-d'œuvre des peintres de l'Ecole de Paris» à la Galerie Charpentier.

juin-septembre
Il présente une *Composition* dans l'«Exposition d'art français contemporain» au Musée de Luxembourg.

novembre-décembre
Il participe à l'exposition internationale d'art moderne au Musée d'art moderne de Paris.

1947
printemps
Bissière fait un séjour à Paris.

10 juin
Il écrit à Louttre: «Je suis en ce moment en plein travail et le génie me sort par tous les pores. J'ai commencé plusieurs tableaux, qui me passionnent et je suis à une de ces heures où on fourmille d'idées de toiles et de projets. Profitons en tant que ça dure. J'ai même ébauché une grande toile par dessus la grande toile en hauteur que j'avais faite l'an dernier (en même temps que celle exposée au Luxembourg). J'ai aussi retravaillé des toiles déjà faites. Enfin je n'arrête pas et suis débordé entre ma peinture, mes vaches et mes cactus».

A la fin de l'été René Drouin, suivi peu après par Marcel Arland, vient à l'instigation de Manessier visiter Bissière à Boissiérettes et décide d'organiser une exposition de peintures et tapisseries. «En attendant, écrit Bissière à son ami Jeanneret, je travaille beaucoup. Je tâche de revoir et de mettre au point les toiles que j'ai. J'y travaille d'ailleurs avec une certaine fièvre, car je ne sais si vous êtes comme moi, mais au moment

Bissière et Max-Pol Fouchet, 1952

de montrer les tableaux, j'ai l'impression qu'il aurait fallu les faire tout autrement et je suis pris de l'envie de les recommencer».

5 décembre
Inauguration de l'exposition Bissière à la Galerie René Drouin, 17 place Vendôme. L'exposition a peu de répercussions dans la presse. L'hebdomadaire *Arts* se contente de saluer le retour de Bissière en reproduisant le texte de sa préface au catalogue. Dans *Combat,* René Guilly, l'un des critiques les plus avertis de l'époque, écrit: «Voici plus de vingt ans que Bissière n'avait exposé à Paris. Retiré dans un village du Lot, plus épris de travail que de renommée, il avait laissé peu à peu le silence se faire autour de son œuvre. Mais la place qu'il occupe malgré tout dans la peinture contemporaine fait de sa rentrée à la Galerie Drouin un évènement que l'on ne doit pas sous-estimer.
Bissière appartient typiquement à cette génération que l'on a dite «sacrifiée». Venue à l'expression après l'autre guerre, et prise entre le génie des aînés, Matisse, Picasso, Braque et l'ambition turbulente des plus jeunes. Il a aujourd'hui 60 ans. Sa vie durant, il s'est efforcé courageusement de tirer les leçons du cubisme et de parvenir dans cette voie à un langage personnel.
Les œuvres exposées illustrent cette volonté. Mais afin de les apprécier justement, il est nécessaire de se rappeler que Bissière a enseigné de longues années à l'Académie Ranson. En effet, si ces toiles nous semblent au premier abord déjà familières, c'est que Manessier, Singier, Le Moal, entre autres furent ses élèves et profitèrent largement de ses leçons.

On remarquera d'ailleurs que sa peinture est moins intellectuelle que celle de ses disciples. Son dessin plus imprécis, plus inventé et moins systématique, sa couleur volontairement moins pure et plus subtile. Pour lui, seuls valent le cœur et l'instinct: avec l'intelligence, on ne fait rien de bon dit-il».

1948

8 mai
Il participe à l'exposition «Les peintres et la musique» à la Galerie Durand-Ruel.

décembre
Bissière dont la vue baisse de façon progressive se rend à l'hôpital des Quinze-Vingts pour consultation. Son moral est mauvais.

Bissière et Jacques Lassaigne, vers 1952

Bissière en 1952

Bissière, Jean-François Jaeger et Marcel Fiorini, 1952

1949

juin
L'Etat achète la tapisserie *Le Petit cheval* (1946).

15 juillet
Il écrit à Jeanneret: «Mes yeux sont toujours stationnaires, j'aurais besoin d'aller à Paris revoir l'oculiste, mais pour mettre ce projet à exécution, il faut attendre des jours plus fortunés».

septembre
Deux peintures et une tapisserie sont présentées à l'exposition «La musique et les arts plastiques» à l'Institut français d'Innsbruck.

octobre
Bissière participe à l'exposition «Recherches de l'art français contemporain (1938-1948)» organisée à Stockholm par Jacques Lassaigne avec deux œuvres de son exposition de la Galerie Drouin *La Cathédrale* et *Paysage*. Cette manifestation sera ensuite présentée à Berlin en mai-juin 1950.

1950

janvier
Sa vue continue à baisser «insensiblement, mais d'une façon continue». Il finit par accepter de subir en juillet l'opération d'un glaucome. «J'ai été menacé de perdre la vue. Une opération a sauvé mes yeux. Mais quelque chose que je ne peux pas analyser s'était passé en moi. Quelque chose qui m'avait libéré. L'épouvante, puis la résignation m'avaient peut-être purifié. Le monde matériel a disparu pour faire place à un monde merveilleux, peuplé d'anges et d'oiseaux, et de drapeaux dans le vent. La peinture n'a plus été pour moi qu'un désir de poésie.

Ce qu'il y a de plus profond et de meilleur en moi a enfin trouvé une issue. La peinture a cessé d'être un drame. Elle n'a plus été qu'un besoin d'effusion».

Le Musée des Beaux-Arts de La Chaux-de-Fonds (Suisse) acquiert la peinture *L'Ange de la Cathédrale* exposée chez René Drouin.

1951

juin
«J'ai eu la visite ici d'un lithographe qui habite les environs de Périgueux. Il aimait ma peinture et désirait me voir. Il a travaillé pour Dufy et pour beaucoup d'autres (...) Il m'a amené un certain nombre de planches et vraiment ça m'a ouvert des horizons insoupçonnés sur ce qu'on peut faire avec la litho. (...) Il m'a conseillé de faire écrire le texte des Fioretti sur papier litho et de le faire reporter ensuite sur pierre. Le résultat est bien meilleur que celui que donne un cliché de l'écriture (...) Il m'a conseillé aussi de teinter le papier autour du texte et des gravures avec une légère impression en litho. Ça fait en effet bien mieux, la page est plus pleine, plus liée au texte» écrit-il le 20 juin à Jean-François Jaeger qui devient son marchand. Il poursuit ainsi sa lettre: «Je vais ralentir un peu la peinture, couvrir moins de toiles et méditer davantage. J'en sens le besoin. Je suis d'ailleurs assez fatigué, décidément je n'ai plus vingt ans».

25 septembre
Il écrit à Jean-François Jaeger: «Si vous faites imprimer des invitations, veuillez les libeller ainsi:

BISSIERE
quelques images sans titre

J'y tiens, car cela répond à certaines intentions pour moi fort importantes».
Ainsi qu'il le précise dans une lettre à Jeanneret le 8 octobre: «Ce sont de très petits tableaux, où j'ai mis toute la tendresse que la vie n'a pas comblée, ou au moins j'ai essayé de l'y mettre. Je les présenterai plus comme des objets que comme des tableaux. Je ne veux mettre aucun titre. Ils sont faits seulement pour que ceux qui les verront y puissent accrocher leurs rêves et y retrouver un peu de ce que chacun a en soi d'informulé et de secret».

mi-octobre
Bissière vient à Paris pour son exposition.

19 octobre
Exposition jusqu'au 17 novembre des *Images sans titre* à la Galerie Jeanne Bucher.
Roger van Gindertael leur consacre une longue chronique:

Bissière et Manessier, vers 1955

«Par quel sortilège une somme de connaissances s'est-elle résumée en des moyens d'expression aussi instinctifs en apparence? Toute velléité de démonstration est écartée de ces petits panneaux de fortune que la couleur mate semble avoir touché presque fortuitement pour le seul plaisir d'ordonner superficiellement une harmonie simple. Lignes et formes ne sont guère plus appuyées que si elles naissaient inopinément des taches colorées et lorsque leur caractère risque de se perdre dans l'obstrus, le peintre leur accorde l'animation de petits signes ou de petites figurations naïves dans lesquelles il ne nous propose certainement pas de lire une définition ou un symbole occulte. Leur nécessité n'est ici que picturale, Bissière estime qu'un sujet allusif ne peut rien ajouter à la valeur d'une œuvre peinte».

1952

janvier
Bissière réalise «cinq ou six» cartons de tapisserie pour en faire transcrire un en laine par Plasse-Lecaisne.

Bissière et Mousse à Boissiérettes, 1955

mars
Il se rend à Paris.

été
Peu satisfait des essais des lissiers, Bissière construit un métier à tisser sur lequel Mousse entreprend une grande tapisserie qui ne sera jamais achevée. Cela permet d'y mettre «plus de subtilités que Plasse Lecaisne».

été-automne
Il peint 8 grandes toiles.

octobre
Bernard Dorival choisit en don pour le Musée national d'art moderne la *Nature morte à la bouteille.*

Il participe au Salon d'Automne.

novembre
Bissière vient à Paris.

22 décembre
Le premier Grand Prix national des Arts est décerné à Bissière. Ainsi que l'écrit Franck Elgar: «En honorant cet artiste solitaire et par trop méconnu, le jury s'est honoré lui-même».

décembre
Exposition personnelle à la Galerie Jeanne Bucher de grandes peintures à l'œuf. Dans *Arts,* Guy Marester note: «Bissière se joue des écoles ou de ce que peut être parfois la rigidité de principes formels. Il ne s'impose pas de règles de composition,

Bissière en 1958

il les crée. Il se soucie peu de voir apparaître dans ces tableaux que l'on dira si facilement abstraits, la présence que nous découvrirons à notre tour, d'oiseaux, d'étoiles ou de personnages. Ce seront là des signes qui ne nous ramèneront, comme tous les autres, qu'au seul univers de cette peinture et à l'évidence de sa joie ou de ses mystères».

1953

janvier
Il écrit pour le livre de Pierre-Miguel Merlet sur Reichel (Presses littéraires de France, 1953) un texte en guise de préface. «Parler du monde de Reichel... c'est aussi parler de celui qui m'est tellement proche». (...) «Un bout de papier grand comme la main/La boîte d'aquarelle de notre enfance/Et vous faites naître pour nous je ne sais quoi/De tendre et d'humain/Je ne sais quoi aussi de merveilleux/Qui vous reflète tout entier/Et que nous ne connaîtrions pas sans vous/Une chanson de l'au delà/A la fois douce et amère/Un souvenir de notre berceau».

Bissière participe avec cinq œuvres à l'exposition «Peintures actuelles de France et d'Italie» au Musée de La Chaux-de-Fonds (Suisse) dans une sélection établie par Umbro Apollonio pour l'Italie et Bernard Dorival pour la France.

mi-janvier
Retour à Boissiérettes.

mars
Le lithographe Jean Pons réalise plusieurs estampes et affiches pour Bissière.

mai
Bissière travaille au livre de St François. «Vous recevrez d'ici quelques jours les feuilles du St François. Je vais les emballer et vous les mettre à la poste à la fin de la semaine (...) Mais j'ai bien peur de la réalisation en litho», écrit-il le 8 mai à Jean François Jaeger. Préoccupé de ces problèmes de réalisation, au même, le 26 mai, il précise «Si Fiorini veut s'en charger ça serait le mieux. J'y avais déjà pensé mais je craignais que ça ne revienne trop cher. Et puis il y a là quelque chose qui me gène un peu, car en réalité c'est Fiorini qui fera tout le travail, si j'y touche je ne puis que lui compliquer la tâche, et si on met seulement «tirages de Fiorini» on le frustrera de la part qui lui revient. Il y a là quelque chose qui me chiffonne un peu. Je n'aime guère m'attribuer le mérite du travail d'un autre. Enfin dites-lui mes scrupules et voyez ce qu'il en pense, mais il serait plus loyal de mettre «aquarelles de Bissière, gravées par Fiorini».

Signature du *Voyage au bout de la nuit,* 1955. Photo Luc Joubert

Bissière dans son atelier avec le Dr. Georges Jaeger, en 1956

Dans une préface qu'il écrira ultérieurement pour Fiorini, Bissière note: «Je lui demeure d'ailleurs reconnaissant d'avoir accepté jadis la tâche difficile de traduire en gravure mes gouaches pour le Cantique au Soleil de Saint François d'Assise. Il s'en est acquitté avec un rare bonheur, car il n'a pas cherché à les reproduire fidèlement. Il s'est gardé de l'exactitude froide et morte pour faire une transposition et une recréation qui m'ont enchanté».

juillet
Bissière dessine des lithographies sur pierre à Boissiérettes. «Je deviens un maître de la lithographie. Le lithographe s'est pris de passion pour moi. Il ne se passe pas de dimanche qu'il ne m'apporte des pierres à couvrir. J'ai découvert une Prière pour Pâques de François d'Assise. C'est une chose admirable (...) Je vais en faire une sorte de grande image d'Epinal en litho avec le texte étroitement lié aux images, cela pourrait être assez curieux. En tous cas, ça m'amuse».

été
Parallèlement, il réalise des monotypes.

1954

avril
Bissière réalise de petites gouaches sur papier ainsi qu'«une vingtaine de détrempes sur papier que j'ai tâché de faire assez simples pour être facilement traduisibles en lithographie». (à Jean-François Jaeger, le 25.4.54)

juin
La maquette du Cantique est achevée.

mi-octobre
L'impression du Cantique réalisée à 48 exemplaires s'achève et la présentation en est faite à partir du 17 novembre à la Galerie

Bissière, 1958. Photo Luc Joubert

Jeanne Bucher, accompagnée de monotypes et de gouaches. A cette occasion, Bissière vient à Paris.

1955

15 juillet
Six œuvres de Bissière sont présentées à la 1ère Documenta à Cassel.

1956

27 avril
Exposition personnelle, jusqu'au 2 juin, à la Galerie Jeanne Bucher d'œuvres récentes. Le catalogue est préfacé par Jacques Lassaigne.

septembre
Le lithographe Picton propose d'assembler les lithographies inutilisées avec de la musique. Refus de Bissière.

Achat du Musée national d'art moderne.

octobre
Le Musée de Bordeaux achète trois toiles.

1957

29 juin
Ouverture de la rétrospective Bissière à la Kestner-Gesellschaft de Hanovre.

Bissière avec André Malraux au vernissage de la rétrospective du Musée national d'Art moderne. Paris, 1959

octobre
Il rédige le texte de présentation du catalogue de ses rétrospectives à Eindhoven et Amsterdam. Il y reprend quelques unes de ses idées-force: «Ma peinture est l'image de ma vie, le miroir de l'homme que je suis, tout entier, avec ses faiblesses aussi. Devant ma toile je ne pense pas au chef-d'œuvre. Je ne pense même pas au résultat. Je me berce d'histoires improbables et je mets des couleurs dessus» (...)
«Mes tableaux ne veulent rien prouver. Ni rien affirmer. Ils sont la seule façon en mon pouvoir de restituer des émotions indicibles autrement» (...)
«Il en est de la peinture comme du tir à la cible. Si on manque le centre, peu importe de quelle distance on l'a manqué» (...)
«D'aucuns se croient chargés de missions divines ou de messages essentiels. J'ai moins d'ambition. Je voudrais seulement me découvrir moi-même. C'est une tâche difficile et qui demande beaucoup de courage. Le courage d'entreprendre un voyage au bout de la nuit.»

1958

17 avril-19 octobre
Il participe à l'Exposition Universelle de Bruxelles.

11 mai
Il expose une œuvre au Salon de Mai.

10 juin
La Galerie Jeanne Bucher présente (jusqu'au 12 juillet) une exposition personnelle *Les quatre saisons* de 34 petites peintu-

res de Bissière réalisées entre 1956 et 1958. La présentation est de Guy Weelen.

Bissière réalise, avec le verrier Charles Marcq, deux vitraux pour les portes Nord et Sud de la Cathédrale de Metz.

1959

9 avril-10 mai
Rétrospective au Musée national d'art moderne de 121 œuvres, préfacée par Jean Cassou.
André Chastel, dans *le Monde* écrit: «Ce bonheur d'expression est celui de Bonnard dans les fusées multicolores de ses derniers tableaux, celui de Jacques Villon dans les prismes délicats qu'il compose au bout d'un demi-siècle. Bissière a, dans un registre plus rustique, apparemment moins pur, mais chargé d'effluves, sonore et merveilleusement dense, le même privilège, qui est la récompense des longues attentes au travail et du grand âge doucement éclairé du dedans».
A l'occasion de cette exposition, Jean-Clarence Lambert rassemble dans *France-Observateur* (9 avril) un ensemble de témoignages sur l'importance de Bissière. Parmi ceux-ci, Werner Schmalenbach écrit: «Bissière est l'un des très rares artistes de notre temps à connaître le plus court chemin du cœur à l'image. C'est là le merveilleux secret de ses plus récents tableaux», tandis qu'E.L.L. de Wilde déclare: «La peinture de Bissière n'appartient ni à notre époque ni à telle autre. Elle n'a qu'une actualité: celle d'une humanité profonde».

28 avril
La section française de l'Association internationale des critiques d'art organise pour fêter Bissière à l'occasion de sa rétrospective au Musée national d'art moderne, un déjeuner à la Coupole. Bissière répond au discours de Jacques Lassaigne: «Si je sais un peu peindre, je sais très mal parler. Pourtant je voudrais remercier l'association des critiques d'art d'avoir organisé cette manifestation de sympathie qui me touche infiniment. Je voudrais aussi dire ma reconnaissance à mes camarades d'une génération beaucoup plus récente que la mienne, de l'amitié qu'ils m'ont prodiguée et qui a été pour moi d'un si grand réconfort. Merci à vous tous qui aujourd'hui avez effacé pour moi les longues et dures années d'une solitude parfois dure à porter. Grâce à vous je peux croire avec Charlie Chaplin que la vie commence à soixante ans. Et s'il en est ainsi beaucoup d'espoirs me sont encore permis».

11 juillet
Cinq œuvres de Bissière sont présentées à Cassel dans le cadre de Documenta 2.

Septembre
Bissière fait don de six peintures au Musée national d'art moderne.

1961

3 novembre
Hommage à Bissière au Salon d'Automne avec 21 peintures.

Une exposition particulière a lieu à la World House Gallery, à New York.

1962

21 avril-21 octobre
Cinq peintures sont présentées à l'exposition «Art since 1950» dans le cadre de la Seattle World's Fair.

11 mai
Bissière présente, jusqu'au 23 juin, 34 tableaux de 1960 à 1962 à la Galerie Jeanne Bucher. Dans sa préface au catalogue, Dora Vallier cite Bissière: «Quand je commence une toile, je n'ai qu'une sensation de couleur, une émotion et c'est tout. Une fois que cette première couleur est mise, elle en appelle une autre, une autre encore et toutes ces couleurs qui viennent s'ajouter finissent par suggérer des formes. Je n'ai qu'à les suivre. Je veille seulement à combler les trous, à donner une plus grande densité à l'ensemble».

29 juillet
Exposition rétrospective au Kunsthaus de Lucerne.

Prix de gravure à la Biennale de Tokyo.

13 octobre
Décès de Mousse.

1963

février
Il refuse la présidence d'honneur du Salon des Réalités Nouvelles par une lettre reproduite au catalogue de cette manifestation: «Les terribles heures que je viens de vivre ne laissaient aucune place à autre chose qu'à ma peine. (...) En ce moment, j'ai un grand désir de paix et de silence, je n'ai pas le courage de me mêler aux tendances diverses qui s'affrontent».

5 septembre
Les Lettres Françaises publient en hommage à Georges Braque qui vient de mourir un témoignage de Bissière: «Il était en effet un peintre essentiellement de tradition française comme j'espère l'être. Il a continué en la renouvelant cette chaîne ininter-

L'atelier de Boissiérettes à la mort de Bissière

rompue qui va du moyen âge à Cézanne et Renoir en passant par Corot. Dans tout ce qu'il a créé, il y a toujours cette rigueur, ce sens de la mesure et de l'équilibre, cette sobriété aussi qu'on ne trouve qu'entre l'Atlantique et le Rhin et qui demeure notre meilleur et notre plus précieux héritage. Mais par-delà il y avait dans tout ce qu'il touchait une humanité profonde, le cœur était toujours engagé et c'est pourquoi il demeurera le peintre peut-être le plus essentiel de cette génération, celui qui a créé une œuvre où tout homme digne de ce nom reconnaît ce qu'il a de meilleur et de plus valable. Je voudrais que mon vieux camarade entré dans la nuit de la tombe trouve dans ces lignes la fraternelle tendresse de celui qui au crépuscule de la vie, conserve toujours le parfum d'une très ancienne amitié et l'émouvant souvenir d'une œuvre qui lui demeure chère.»

1964

8 mai
La galerie Jeanne Bucher présente *«Le Journal, 1962-1964»*. En guise d'avertissement à l'exposition, Bissière écrit: «Voici deux ans que le destin m'a frappé durement. Il m'a fallu bien des jours pour chercher une raison de vivre. Cette raison de vivre, je l'ai demandée à la peinture, à ces formes et ces couleurs que j'avais tant aimées. Seules elles ont fourni un refuge à ma peine, mais je ne me sentais ni le courage, ni la force d'aborder des entreprises exigeant beaucoup de continuité et d'équilibre spirituel. Ces petites planches de bois m'ont paru à la mesure de ma détresse et j'ai commencé à créer ces images presque quotidiennes, qui endormaient ma peine et concrétisaient aussi, peut-être, le souvenir d'un bonheur révolu. Ainsi, de jour

en jour, au rythme des saisons, est apparu ce journal de ma vie qui en fin de compte est peut-être une revanche sur la mort». Jacques Lassaigne, commissaire pour la France de la 32e Biennale de Venise, choisit de présenter Bissière dans la grande salle du pavillon français. Celui-ci déclare à *Arts* (13 mai 1964): «J'ai donc accepté de représenter la France à Venise, mais seulement parce que j'avais la conviction que je n'avais aucune chance cette année d'y recueillir la moindre distinction honorifique.»

19 juin
Le jury de la Biennale de Venise décerne «après des débats amples et approfondis» une mention d'honneur à Bissière «en reconnaissance de l'importance historique et artistique de son œuvre». Le grand prix de peinture, accordé à Rauschenberg, marque la fin de la prédominance artistique de Paris sur New York et soulève une très vive polémique.

27 juin
Cinq œuvres de Bissière sont présentées à la 3e Documenta de Cassel, parmi lesquelles *Un jour où le monde était gris* et *Blanche Aurore*.

hiver
Les Editions Hermann publient le *Journal en images,* précédé d'une introduction de François Mathey: «Au jour le jour le peintre se raconte. Chaque petit panneau détaché de son agenda pictural contient tous les autres. Aucun n'est indispensable, chacun est nécessaire. Bissière dispose de petits écrans de novopan bien commodes à découper. Il a devant lui ses boîtes de conserve pleines de couleurs en poudre. Il n'a plus qu'à se laisser aller et comme il ne préjuge pas, il s'en va au rythme inspiré de sa respiration».

2 décembre
Bissière meurt à Boissiérettes. De nombreux articles de la presse française et étrangère lui rendent hommage. Max-Pol Fouchet, Jean Guichard-Meili et Walter Lewino dans *Arts* (9 décembre), Pierre Mazars dans *le Figaro* (10 décembre), Jean Albert Cartier dans *Combat,* François Mathey dans *le Nouvel Observateur.*

Les Lettres françaises rassemblent les témoignages de ses amis (Jean-François Jaeger, Fiorini, Le Moal, Manessier, Bertholle) et un texte de Jacques Lassaigne: «De ces petits formats dont beaucoup sont partis pour les expositions récentes à Paris, à Lausanne, les quelques exemples restés à l'atelier prennent un caractère miraculeux, petites constructions de rêve et pourtant singulièrement précises, enchevêtrement de branches délicates, buissons ardents dans le soleil, petites formes noires hérissées dans la brume ou la neige, anges, clochers, oiseaux, tissages de nattes magiques. Parmi eux, comme des repères, auxquels il tenait beaucoup, de rares œuvres plus directes, un petit paysage ombreux, crépusculaire, comme une esquisse de Lorrain, l'allègre vision d'un port avec un pavillon claquant au vent. Et aussi quelques vastes compositions auxquelles il s'attardait longuement, grandes forêts verticales en attente de l'ultime frémissement. Soudain, un jour de l'autre semaine, Bissière a entrepris de recouvrir l'un d'eux d'un grand manteau d'ombre grise sur lequel il a inscrit, dans un angle du sommet, un mystérieux signe noir. Sur la table qui lui servait de palette, la planche recouverte de couleurs et de poudres séchées porte encore une grande tache noire toute fraîche.
Le soir même Bissière est monté à sa chambre, à peine plus agité. Il s'est endormi dans son vieux lit bas et il est mort doucement au matin. Ce fut ainsi, sans révolte et sans lutte vaine. Il avait tout mis en ordre, tout achevé, tout accompli. Il était au bout de son chemin».

12 décembre
Villeréal, où il naquit, décide de donner le nom de Rue Roger Bissière à la Rue de l'Eglise où se trouve sa maison natale.

Table des illustrations

Huile sur papier marouflé sur bois, 130 × 50 cm

66 La chanson des rues, 1946
Huile sur papier marouflé sur bois

67 L'ange de la cathédrale, 1946
Huile sur papier marouflé sur toile, 110 × 61 cm

68 Oiseau et papillon, 1949
Peinture à l'œuf sur bois, 33 × 24 cm

69 Brun et noir, 1949
Peinture à l'œuf sur bois, 51 × 25 cm

70 Noir et rouge, 1949
Peinture à l'œuf sur bois, 52 × 25,5 cm

70 Le soleil noir, 1949
Peinture à l'œuf sur bois, 58 × 24 cm

71 Grande composition, 1947
Huile sur papier marouflé sur toile, 41 × 27 cm

72 L'île de Ré, 1950
Peinture à l'œuf sur bois, 26 × 37 cm

73 Jaune et gris, 1950
Peinture à l'œuf sur toile, 116 × 89 cm.
Musée national d'Art Moderne, Paris

74 Hommage à Angelico, 1950
Peinture à l'œuf sur carton, 46 × 61 cm
Stedelijk Museum, Amsterdam

75 L'étoile blanche, 1950
Peinture à l'œuf sur papier marouflé sur bois, 122 × 42 cm

76 Paysage à l'oiseau, 1950
Peinture à l'œuf sur bois, 21 × 58,5 cm

77 L'oiseau de nuit, 1950
Peinture à l'œuf sur bois, 33 × 22 cm

78 Paysage au totem, 1951
Peinture à l'œuf sur bois, 27 × 40,5 cm

79 Le chat, la maison, 1951
Peinture à l'œuf sur toile, 81 × 65 cm

80 Noir et vert, 1951
Peinture à l'œuf sur papier marouflé sur isorel,
110 × 50 cm
Abbaye de Beaulieu, Centre d'Art Contemporain

80 La Croix du Sud, 1952
Peinture à l'œuf sur papier marouflé sur toile,
132 × 50 cm

Haags Gemeentemuseum, La Haye

81 Bleu, 1951
Peinture à l'œuf sur papier marouflé, 125 × 45 cm
Stedelijk Museum, Amsterdam

81 Noir, ocre et vert, 1952
Peinture à l'œuf sur papier marouflé, 106 × 44 cm
Stedelijk Museum, Amsterdam

82 Jaune et vert, 1951
Peinture à l'œuf sur papier marouflé sur bois, 122 × 40 cm

83 Rouge et vert, 1952
Peinture à l'œuf sur toile, 130 × 97 cm

84 Rouge et jaune, 1952
Peinture à l'œuf sur toile, 100 × 65 cm

85 Vitrail, 1953
Peinture à l'œuf sur papier marouflé sur toile, 100 × 65 cm

86 Ocre, rouge et vert, 1953
Peinture à l'œuf sur papier marouflé sur toile, 127 × 44,5 cm

86 Rouge et gris, 1952
Peinture à l'œuf sur toile, 131 × 50 cm
Musée de Peinture et de Sculpture, Grenoble

87 Pousses blanches, étoile, 1953
Peinture à l'œuf sur toile, 130 × 97 cm

88 *Cantique à Notre Frère Soleil* de François d'Assise
Onze bois gravés en couleurs de Bissière

92 Vert et ocre, 1954
Huile sur toile, 114 × 77 cm

92 Gris et bleu, 1954
Huile sur papier marouflé sur bois, 65 × 19 cm

93 Composition grise, 1954
Huile sur toile, 124 × 65 cm
Billedgalleri, Bergen

94 Souvenir de Ville d'Avray, 1955
Huile sur toile, 73 × 60 cm
Museum Boymans-Van Beuningen, Rotterdam

95 Voyage au bout de la nuit, 1955
Huile sur toile, 77 × 114 cm

96 Equinoxe d'été, 1955
Huile sur toile, 130 × 162 cm
Musée National d'Art Moderne, Paris

97 Paysage mexicain, 1955

Huile sur toile, 50 × 130 cm

97 Composition 257, 1956
Huile sur bois, 39 × 64 cm

98 La forêt, 1955
Huile sur toile, 130 × 162 cm
Musée National d'Art Moderne, Paris

99 Composition, 1956
Huile sur toile, 66 × 50 cm

100 Paysage égyptien, 1956
Huile sur toile, 73 × 100 cm
Kunsthaus Zurich

101 Composition 321, 1956
Huile sur toile, 77 × 113 cm
Kunsthalle, Hambourg

102 La fête à Neuilly, 1956
Huile sur toile, 97 × 130 cm

103 Gris et violet, 1957
Huile sur toile, 92 × 73 cm
Staatmuseum, Luxembourg

104 Composition, 1957
Huile sur toile, 50 × 65 cm

105 Equinoxe d'hiver, 1957
Huile sur toile, 130 × 162 cm

106 Composition rouge, 1957
Huile sur toile, 81 × 100 cm

107 Les quatre saisons XV, 1957
Huile sur papier, 30 × 39 cm

107 Paysage, 1958
Huile sur toile, 38 × 55 cm

108 Emergence du printemps, 1958
Huile sur toile, 81 × 100 cm

109 Montignac, 1959
Huile sur toile, 81 × 100 cm

110 Paysage gris, 1959
Huile sur toile, 24 × 41 cm

111 Ocre et bleu, 1959
Huile sur toile, 33 × 46 cm

112 Un nuage de soleil, 1960
Huile sur toile, 89 × 116 cm
Museum Boymans-van Beuningen, Rotterdam

113 Lumière du matin, 1960
Huile sur toile, 100 × 81 cm

114 Prairial, 1961
Huile sur toile, 73 × 100 cm

115 Le jardin cette nuit, 1961
Huile sur toile, 116 × 89 cm

116 L'orage est passé, 1960
Huile sur toile, 81 × 100 cm

117 Soleil levant, 1960
Huile sur toile, 162 × 130 cm

118 Brumaire, 1961
Huile sur toile, 65 × 81 cm

119 Fraternité du rouge et du gris, 1961
Huile sur toile, 89 × 116 cm

120 Cantilène de la nuit, 1961
Huile sur toile, 92 × 65 cm
Kunstmuseum, Berne

121 Un jour où le monde était gris, 1962
Huile sur toile, 81 × 65 cm

122 Pierres blanches, 1961
Huile sur toile, 73 × 92 cm

123 Noblesse des ruines, 1962
Huile sur toile, 65 × 50 cm

124 Agonie des feuilles, 1962
Huile sur toile, 113 × 76 cm

JOURNAL EN IMAGES

127 6 mai 1962
Huile sur bois, 27 × 35 cm

128 4 août 1962
Huile sur bois, 41,5 × 20 cm

129 10 novembre 1962
Huile sur bois, 21,5 × 29,5 cm

130 22 décembre 1962
Huile sur bois, 29,5 × 42 cm

131 25 décembre 1962
Huile sur bois, 29,5 × 20 cm

132 29 décembre 1962
Huile sur bois, 26,5 × 22,5 cm

133 30 décembre 1962
Huile sur bois, 25,5 × 23 cm

134 3 janvier 1963
Huile sur bois, 28 × 23 cm

135 15 janvier 1963
Huile sur bois, 37 × 30 cm

136 2 février 1963
Huile sur bois, 35 × 27 cm

137 7 mars 1963
Huile sur bois, 42 × 27 cm

138 7 mai 1963
Huile sur bois, 30 × 25 cm

139 14 mai 1963
Huile sur bois, 38 × 25,5 cm

140 16 mai 1963
Huile sur bois, 45 × 27 cm

141 22 mai 1963
Huile sur bois, 22,5 × 35,5 cm

142 8 juin 1963
Huile sur bois, 41 × 27 cm

143 15 juin 1963
Huile sur bois, 26,7 × 26,8 cm

144 27 juillet 1963
Huile sur bois, 30 × 37 cm

145 30 juillet 1963
Huile sur bois, 30 × 39,5 cm

146 15 août 1963
Huile sur bois, 35 × 27 cm

147 17 août 1963
Huile sur bois, 35 × 27 cm

148 19 août 1963
Huile sur bois, 27 × 36,5 cm

149 22 août 1963
Huile sur bois, 32 × 22 cm

150 5 septembre 1963
Huile sur bois, 28 × 26 cm

151 4 octobre 1963
Huile sur bois, 22 × 31 cm

152 30 octobre 1963
Huile sur bois, 35 × 27 cm

153 8 novembre 1963
Huile sur bois, 37 × 22 cm

154 12 novembre 1963
Huile sur bois, 28 × 23 cm

155 23 novembre 1963
Huile sur bois, 35 × 24 cm

156 27 janvier 1964
Huile sur bois, 35 × 27 cm

157 4 février 1964
Huile sur bois, 37 × 24 cm

158 19 février 1964
Huile sur bois, 32 × 22 cm

159 1er mars 1964
Huile sur bois, 32 × 25 cm

160 9 mars 1964
Huile sur bois, 37 × 30 cm

162 La veille du printemps, 1964
Huile sur toile, 100 × 73 cm

163 Ocre et rose, 1963
Huile sur toile, 65 × 92 cm

164 Le silence de l'aube, 1964
Huile sur toile, 92 × 73 cm

165 Silence du crépuscule, 1964
Huile sur toile, 100 × 81 cm

166 Matin d'hiver, 1964
Huile sur toile, 65 × 54 cm

167 Silence de la nuit, 1964
Huile sur toile, 92 × 73 cm

PHOTOGRAPHIES

Alain Bouret, Paris
S. Fouillot, Paris
Galerie Jeanne Bucher, Paris
Claude Hervé, Libourne
Yves Hervochon, Paris
J. Hyde, Paris
Hamburger Kunsthalle
Luc Joubert, Paris
Kunsthaus, Zürich
Kunstmuseum, Berne
Librairie de France, Paris
Studio Muller, Paris
Musée Boymans-van Beunigen, Rotterdam
Musée national d'Art moderne, Paris
Stedelijk Museum, Amsterdam
Time Foto, Oslo
O. Vaering, Oslo

Production: Ides et Calendes, CH 2001 Neuchâtel
Maquette et réalisation: André Rosselet
Film offset noir et couleur: Busag Graphic, Berne
Impression en offset: Hertig+Co, Bienne
Papier: Fabrique de papier de Biberist
Reliure: Mayer et Soutter, Renens

Ides et Calendes, CH 2001 Neuchâtel, Evole 19
Imprimé en Suisse Printed in Switzerland